のら犬《いぬ》ティナと4匹《ひき》の子《こ》ども

覚《おぼ》えていますか？　耳《みみ》を切《き》られた子犬《こいぬ》たちの事件《じけん》

関《せき》 朝之《ともゆき》

はじめに

動物虐待《どうぶつぎゃくたい》がつづいています。どんな人間《にんげん》が、どんな気持《きも》ちで虐待《ぎゃくたい》するのか、ぼくにはよくわかりません。

けれど、傷《きず》ついた動物《どうぶつ》を助《たす》けようとする人《ひと》の心《こころ》ならわかるような気《き》がします。

この『のら犬《いぬ》ティナと4匹《ひき》の子《こ》ども』は、大阪《おおさか》の町《まち》を流《なが》れる淀川《よどがわ》の河川敷《かせんじき》で起《お》こった四匹《ひき》の子犬《こいぬ》への虐待事件《ぎゃくたいじけん》がテーマです。また、傷《きず》ついた子犬《こいぬ》たちの幸《しあわ》せをねがった人《ひと》たちの物語《ものがたり》です。大阪《おおさか》に「耳《みみ》を切《き》られた子犬《こいぬ》」がいたということは新聞《しんぶん》で知《し》っていましたが、その事件《じけん》の舞台《ぶたい》が「河川敷《かせんじき》」だとは知《し》りませんでした。

ぼくは、東京《とうきょう》の「江戸川《えどがわ》」という川《かわ》の河川敷《かせんじき》を毎日《まいにち》のようにみて育《そだ》ちまし河川敷《かせんじき》ってふしぎな空間《くうかん》だなぁ、と。山《やま》からわき出《で》た水《みず》をやすみなく海《うみ》に運《はこ》ぶ川《かわ》。そして、いつも思《おも》っていました。人間《にんげん》たちがいそがしく生活《せいかつ》する町《まち》と、そのあいだにある河川敷《かせんじき》は、社会《しゃかい》とは切《き》りはなされた空間《くうかん》に思《おも》えることがしばしばあったからです。

この本《ほん》に登場《とうじょう》してくるのは、大阪《おおさか》の淀川《よどがわ》の河川敷《かせんじき》に捨《す》てられた、あるいはそこで産《う》まれた犬《いぬ》たちです。

彼《かれ》らにとっての「河川敷《かせんじき》」は、たった一つの生《い》きていける「自由《じゆう》」な場所《ばしょ》ですが、同時《どうじ》にいつ、つかまえられてしまうかわからない「危険《きけん》」な場所《ばしょ》なのです。

自由《じゆう》だけれども、いつも危険《きけん》がとなりにある場所《ばしょ》なのです。

それが、捨《す》て犬《いぬ》たちの「河川敷《かせんじき》」なのです。

この物語《ものがたり》に登場《とうじょう》するのは、耳《みみ》を切《き》られた四匹《ひき》の子犬《こいぬ》たちです。

そして、その母犬《ははいぬ》は、足《あし》を切《き》られた野良犬《のらいぬ》です。

彼《かれ》らをふくめて、河川敷《かせんじき》で暮《く》らす野良犬《のらいぬ》たちは、みんな必死《ひっし》に生《い》きていました。

そして、彼《かれ》らはさまざまな人《ひと》と出会《であ》います。

出会《であ》った人《ひと》により、幸《しあわ》せになることができたのです。

それも、ただ幸《しあわ》せになったばかりではなく、出会《であ》った人《ひと》をも幸《しあわ》せにしていました。

この本《ほん》には主役《しゅやく》の犬《いぬ》はいません。ぎゃくに言《い》えば、登場《とうじょう》する犬《いぬ》のなかで、あなたが一番好《いちばんす》きになった犬《いぬ》が、この本《ほん》の主人公《しゅじんこう》です。

どの犬《いぬ》が主役《しゅやく》になったのか、あとでそっと教《おし》えてくださいね。

淀川《よどがわ》河川敷《かせんじき》の野良犬《のらいぬ》たちの相関図《そうかんず》

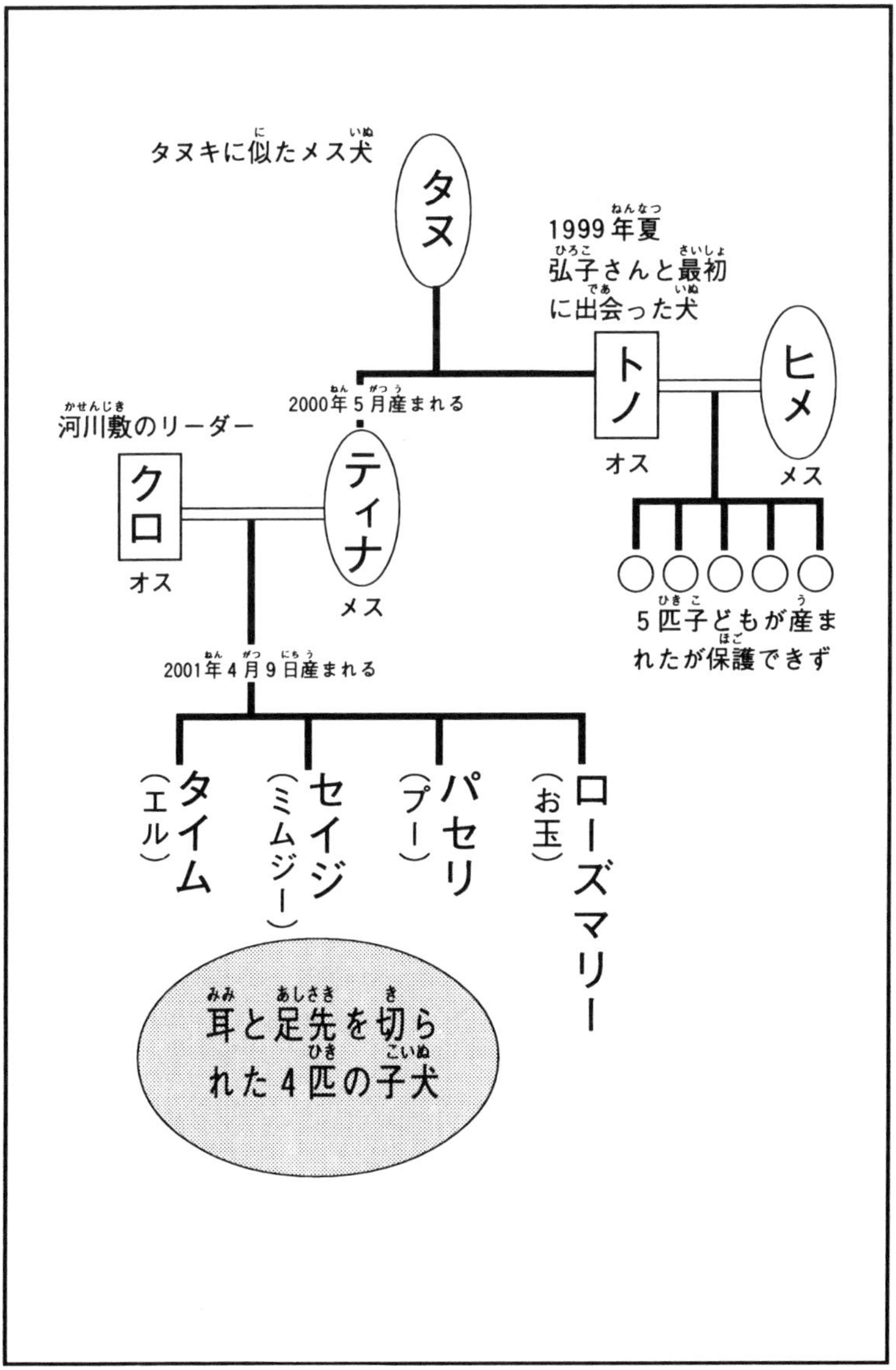

もくじ

表画・サンクス

三本足《ぽんあし》の野良犬《のらいぬ》・ティナとの出会《であ》い

淀川《よどがわ》は、きょうも大阪《おおさか》のいくつもの町《まち》をへて、大阪湾《おおさかわん》へと流《なが》れつづけています。

ここは、その淀川《よどがわ》が流《なが》れる町《まち》の一つ、大阪府《おおさかふ》高槻市《たかつきし》の河川敷《かせんじき》です。

この河川敷《かせんじき》の一角《いっかく》に「三島江《みしまえ》公園《こうえん》」という広場《ひろば》があります。

二〇〇〇年《ねん》五月《がつ》、その公園《こうえん》に中山《なかやま》弘子《ひろこ》さん(三八歳《さい》)がやってくると、草《くさ》むらから子犬《こいぬ》の鳴《な》き声《ごえ》が聞《き》こえてきました。

ものすごい鳴《な》き声《ごえ》です。

気《き》になった弘子《ひろこ》さんは、草《くさ》むらに歩《ある》いていきました。

すると、そこには数匹《すうひき》の産《う》まれたばかりの子犬《こいぬ》がいました。

弘子《ひろこ》さんは、ふしぎに思《おも》いました。

ちょっと大《おお》きくなった子犬《こいぬ》たち同士《どうし》でワンワンと鳴《な》きあうことはあっても、目《め》の開《あ》かないときに激《はげ》しく鳴《な》くのは、身体《からだ》が冷《ひ》えたときか、ものすごくお腹《なか》がすいてしまったときだと、知《し》り合《あ》いの獣医《じゅうい》さんから聞《き》いたことがあったからです。

＊　＊

それから二カ月《げつ》がすぎた七月《がつ》、河川敷《かせんじき》の野良犬《のらいぬ》たちに食《た》べ物《もの》をやっている弘子《ひろこ》さんの前《まえ》に、一匹《ぴき》の子犬《こいぬ》が現《あらわ》れました。

距離《きょり》ははなれていましたが、二カ月前《げつまえ》に草《くさ》むらで激《はげ》しく鳴《な》いていた子犬《こいぬ》のなかの一匹《ぴき》だとわかりました。

ただ、腰《こし》をぐにゃっと曲《ま》げるような変《へん》な動《うご》きをするなぁ……と、子犬《こいぬ》の歩《ある》き方《かた》をはじめてみた弘子《ひろこ》さんは感《かん》じていました。

人間《にんげん》の近《ちか》くにいったら、つかまってしまうという恐怖感《きょうふかん》があったのでしょうか、子犬《こいぬ》は弘子《ひろこ》さんに近寄《ちかよ》ってきません。

弘子《ひろこ》さんは、その子犬《こいぬ》に「ティナ」という名前《なまえ》をつけました。

＊　＊

八月《がつ》になりました。

ある日《ひ》、弘子《ひろこ》さんがいつものように河川敷《かせんじき》にいき、野良犬《のらいぬ》たちに食《た》べ物《もの》をあげていました。するとうしろ足《あし》を引《ひ》きずったティナが群《む》れに混《ま》じって現《あらわ》れるようになりました。

「あっ、ティナだ！」

弘子《ひろこ》さんは、ティナを指《ゆび》さしながら、近《ちか》くにいた公園《こうえん》の管理人《かんりにん》さんに言《い》いました。

「あの犬《いぬ》は産《う》まれて三カ月《げつ》くらいたつけれど、やはり歩《ある》き方《かた》がおかしいですね」

河川敷《かせんじき》の犬《いぬ》たちを毎日《まいにち》みている管理人《かんりにん》さんが答《こた》えました。

「産《う》まれて間《ま》もないころから、右《みぎ》うしろ足《あし》の膝《ひざ》から下《した》がおかしかったよ。ずっと、けんけんして歩《ある》いていたよ」
弘子《ひろこ》さんはティナをみて、メスだということがわかりました。
そして、歩《ある》き方《かた》がぎこちなかったのは、右《みぎ》うしろ足《あし》の膝《ひざ》から下《した》がないから
だということもわかりました。
ティナは三本《ぼん》の足《あし》で地面《じめん》を踏《ふ》みしめていたのです。
その日《ひ》から、ティナは食《た》べ物《もの》をもらいにくるようになりました。
そして日《ひ》ごとに、食《た》べ物《もの》をあげる弘子《ひろこ》さんとの距離《きょり》は縮《ちぢ》まっていきました。
それでも茂《しげ》みのなかから公園《こうえん》にやってくるティナは、弘子《ひろこ》さんと目《め》が合《あ》うと、
ぎこちない三本足《ほんあし》の歩行《ほこう》で、あわてて逃《に》げました。
人《ひと》を恐《おそ》れているようでした。
弘子《ひろこ》さんは、茂《しげ》みにむかって大声《おおごえ》で言《い》いました。
「おいでぇえ、おいでぇえ。だいじょうぶだからぁあ」
それからも、ティナは一メートル以内《いない》には近《ちか》づいてきませんでした。

（なぜティナは、人《ひと》をあんなに恐《おそ》れるのだろう……）

と弘子《ひろこ》さんはふしぎでした。

＊　＊

弘子《ひろこ》さんが淀川《よどがわ》河川敷《かせんじき》の野良犬《のらいぬ》たちに食《た》べ物《もの》をあげるようになったのは、ティナと出会《であ》う九カ月前《げつまえ》の一九九九年《ねん》の夏《なつ》でした。

＊　＊

「姉《ねえ》さん、もういいから、店《みせ》から出《で》ていってくれ！」

「わかったわよ！」

その日《ひ》、弘子《ひろこ》さんは、飲食店《いんしょくてん》を経営《けいえい》している弟《おとうと》と大《おお》ゲンカをしてしまいました。手伝《てつだ》いにきていた店《みせ》を飛《と》び出《だ》し、どこへいくあてもなく歩《ある》いていた弘子《ひろこ》さんの前《まえ》に、淀川《よどがわ》の河川敷《かせんじき》がみえてきました。

近《ちか》くにこんな場所《ばしょ》があったんだ、ここで時間《じかん》をつぶそう……そんなことを思《おも》いながら、弘子《ひろこ》さんは淀川《よどがわ》の土手《どて》に腰掛《こしか》けました。

淀川《よどがわ》の川岸《かわぎし》には、背丈《せたけ》ほどもある葦《あし》が生《は》えていました。その茂《しげ》みをしばらくながめていました。そして、

（広《ひろ》くて気持《きも》ちのいい場所《ばしょ》だこと……世《よ》の中《なか》の嫌《いや》なことを忘《わす》れてしまいそうだわ……）

と深呼吸《しんこきゅう》をしながら両手《りょうて》を広《ひろ》げました。

しばらく土手《どて》にすわっていた弘子《ひろこ》さんが、そろそろ弟《おとうと》と仲直《なかなお》りをしに、店《みせ》にもどろうとしたときです。

河川敷《かせんじき》から一匹《びき》の犬《いぬ》が近《ちか》づいてきました。

黒《くろ》くてがっしりしたオスの雑種犬《ざっしゅけん》です。

はじめて出会《であ》った弘子《ひろこ》さんを警戒《けいかい》しているのか、そのオス犬《いぬ》は五メートル手前《てまえ》まできて、首《くび》をかしげてもとの方向《ほうこう》へ去《さ》っていきました。

あの犬《いぬ》は食《た》べ物《もの》がほしかったのかな、と弘子《ひろこ》さんは思《おも》いましたが、あいにく食《た》べ物《もの》を持《も》っていませんでした。

いまでこそみかけなくなりましたが、弘子《ひろこ》さんが子《こ》どものころは一日《にち》一度《ど》は野良犬《のらいぬ》に会《あ》いました。

それに飼《か》えないとわかっていても、捨《す》て犬《いぬ》を拾《ひろ》ってきては「もどしてきなさい」と両親《りょうしん》にしかられて、悲《かな》しい思《おも》いをしていました。

あのときの弘子《ひろこ》さんは、拾《ひろ》った犬《いぬ》をもどしてきては、また拾《ひろ》ってくる。すると、また親《おや》にみつかる。そして、犬《いぬ》たちとお別《わか》れをする。そんなことを、毎回《まいかい》くり返《かえ》していました。それでも最後《さいご》には悲《かな》しい思《おも》いをするので、いつしか捨《す》て犬《いぬ》を拾《ひろ》わなくなりました。

その後《ご》、弘子《ひろこ》さんが大人《おとな》になるにつれて、保健所《ほけんじょ》の捕獲《ほかく》もきびしくなり、いつしか町《まち》から野良犬《のらいぬ》はいなくなりました。

しばらくみていなかった野良犬《のらいぬ》が、弘子《ひろこ》さんの前《まえ》に突然《とつぜん》、現《あらわ》れたのです。町《まち》ではみかけなくなった野良犬《のらいぬ》が、この河川敷《かせんじき》にはいまでもいるんだ……。

この日《ひ》、弘子《ひろこ》さんは、捨《す》て犬《いぬ》を拾《ひろ》っていたころの自分《じぶん》に会《あ》えたような気《き》がしました。

弘子《ひろこ》さんは、次《つぎ》の日《ひ》も三島江《みしまえ》公園《こうえん》にいってみました。

すると、きのうの野良犬《のらいぬ》がやってきました。

「きょうは食《た》べ物《もの》を持《も》ってきたわよ」

弘子《ひろこ》さんは、手《て》さげ袋《ぶくろ》からパンをとり出《だ》しました。

すると、その犬《いぬ》は五メートル、三メートル、一メートル……と、すぐそばまできて、喜《よろこ》んでパンを食《た》べはじめました。

それから毎日《まいにち》のように、弘子《ひろこ》さんは仕事《しごと》が終《お》わると、パンやソーセージを持《も》って河川敷《かせんじき》にやってきました。

なぜか、「河川敷《かせんじき》」にいる野良犬《のらいぬ》たちが、小《ちい》さいころに飼《か》えずに別《わか》れた捨《す》て犬《いぬ》たちに思《おも》えたからです。

＊　＊

季節《きせつ》が一つ巡《めぐ》り秋《あき》になると、そのオス犬《いぬ》はメス犬《いぬ》を連《つ》れて、弘子《ひろこ》さんの前《まえ》に現《あらわ》れるようになりました。それはまるで、〈こいつがぼくのお嫁《よめ》さんだよ〉と弘子《ひろこ》さんに紹介《しょうかい》しているようでもありました。

メス犬《いぬ》は弘子《ひろこ》さんがみていると食《た》べません。

そこで弘子《ひろこ》さんは、食《た》べ物《もの》を置《お》いた場所《ばしょ》から五メートルほどはなれました。

するとメス犬《いぬ》は食《た》べ出《だ》しました。オス犬《いぬ》は、メス犬《いぬ》がお腹《なか》いっぱいになったのを見届《みとど》けてから、食《た》べ物《もの》を口《くち》にしました。

その日《ひ》から、オス犬《いぬ》とメス犬《いぬ》はいっしょになって弘子《ひろこ》さんの前《まえ》に現《あらわ》れるようになりました。

弘子《ひろこ》さんは、オス犬《いぬ》に「トノ」、メス犬《いぬ》に「ヒメ」という名前《なまえ》をつけました。

数日後《すうじつご》、弘子《ひろこ》さんはメス犬《いぬ》のお腹《なか》がふくらんでいることに気《き》がつきました。

子犬《こいぬ》がもうすぐ産《う》まれるんだ……。

翌日《よくじつ》から、栄養《えいよう》のバランスがとれたドッグフードに変《か》わりました。

そんな日々《ひび》のなかで、トノたちをかわいがっている人《ひと》が、ほかにもいるこ

河川敷《かせんじき》をみつめる弘子《ひろこ》さん。

河川敷《かせんじき》の野良犬《のらいぬ》とのきっかけをつくった「トノ」

とを知《し》りました。そのなかのひとりに、弘子《ひろこ》さんが働《はたら》いている店《みせ》にご飯《はん》を食《た》べにきている八木徹《やぎとおる》さん(五八歳《さい》)がいました。

弘子《ひろこ》さんが三島江公園《みしまえこうえん》にいくと、どこかでみた顔《かお》の人《ひと》がトノに食《た》べ物《もの》をやっていたのです。

「八木《やぎ》さん、こんなところでなにやっているの」

八木《やぎ》さんはトノを指《ゆび》さして言《い》いました。

「やあ弘子《ひろこ》さん。あの犬《いぬ》に、いつも食《た》べ物《もの》をやっているんだよ」

「トノに!」

「トノ?」

「あっ、そうそう。あのオス犬《いぬ》のことよ。わたしもここで出会《であ》ってから食《た》べ物《もの》をあげているのよ」

それから、弘子《ひろこ》さんと八木《やぎ》さんは、河川敷《かせんじき》でよく顔《かお》を合《あ》わせるようになりました。

＊　　＊

秋《あき》も深《ふか》まった十一月《がつ》のある日《ひ》、ヒメが子犬《こいぬ》を産《う》みました。

その日《ひ》から、ヒメも弘子《ひろこ》さんのそばにきて食《た》べるようになりました。子犬《こいぬ》が産《う》まれてからは、栄養《えいよう》をとらなければいけないのか、それとも警戒心《けいかいしん》がなくなったのか、弘子《ひろこ》さんが「おおぉい」と呼《よ》ぶと尻尾《しっぽ》を振《ふ》って、トノとヒメが近《ちか》くまでくるようになったのです。

ヒメが産《う》んだ子犬《こいぬ》は、五匹《ひき》でした。弘子《ひろこ》さんは、この子犬《こいぬ》たちがいずれ成犬《せいけん》になると保健所《ほけんじょ》につかまってしまうのがわかっていたので、自分《じぶん》で保護《ほご》しようと考《かんが》えていました。けれども、自分《じぶん》で五匹《ひき》も飼《か》えるはずがなく、かといって里親《さとおや》を探《さが》す手段《しゅだん》も知《し》りません。ただただ、持《も》ってきた食《た》べ物《もの》を与《あた》えることで精一杯《せいいっぱい》でした。

そんなときに弘子《ひろこ》さんは、大阪《おおさか》の能勢町《のせちょう》で犬《いぬ》や猫《ねこ》を保護《ほご》している「ハッピーハウス」のことを、犬好《いぬず》きの知人《ちじん》から教《おし》えてもらいました。

弘子《ひろこ》さんは、ハウスに電話《でんわ》をかけてみました。

「もしもし。淀川《よどがわ》の三島江《みしまえ》公園《こうえん》に野良犬《のらいぬ》たちがいるのですが、捕獲《ほかく》されてしまうのはかわいそうなので、なんとかできないでしょうか？」

「ハッピーハウス」のスタッフが答《こた》えてくれました。

「保護《ほご》して里親《さとおや》を探《さが》せないのであれば、犬《いぬ》たちに去勢《きょせい》や避妊《ひにん》の手術《しゅじゅつ》をしないと、どんどん増《ふ》えるばかりですよ」

それを聞《き》いて、弘子《ひろこ》さんはヒメが産《う》んだ子犬《こいぬ》たちの保護《ほご》を決《き》めました。

年《とし》がおしせまったころ、弘子《ひろこ》さんは八木《やぎ》さんと、ヒメたちが生活《せいかつ》しているネグラにいきました。けれども産《う》まれて一カ月《げつ》ほどだった子犬《こいぬ》たちはすばしっこく動《うご》き回《まわ》り、つかまえることができなくなっていました。弘子《ひろこ》さんは、これならもっと小《ちい》さいうちにつかまえておけばよかったと後悔《こうかい》しました。

こうしてトノたちとの交流《こうりゅう》がはじまってしばらくたったころ、弘子《ひろこ》さんはタヌキそっくりのメス犬《いぬ》のいる六匹《びき》の野良犬《のらいぬ》の群《む》れをみました。

タヌキ顔《がお》の「タヌちゃん」。

右《みぎ》うしろ足《あし》のないティナ。

この場所《ばしょ》にはトノとヒメのほかにも、野良犬《のらいぬ》がいることがわかったのです。

そして、群《む》れのタヌキそっくりのメス犬《いぬ》が、トノのお母《かあ》さんだということもわかりました。

弘子《ひろこ》さんは、このメス犬《いぬ》に「タヌちゃん」という名前《なまえ》をつけました。

《五カ月後《げつご》の二〇〇〇年《ねん》五月《がつ》、このタヌちゃんが「三本足《ぼんあし》の犬《いぬ》 ティナ」を産《う》むのです》

四つの命《いのち》

弘子《ひろこ》さんが、三本足《ぼんあし》の犬《いぬ》ティナと出会《であ》って一年《ねん》がすぎようとした二〇〇一年《ねん》四月九日《がつここのか》のことです。

その日《ひ》、弘子《ひろこ》さんは八木《やぎ》さんと、いつものように河川敷《かせんじき》にいました。

そこにティナが現《あらわ》れました。

「八木《やぎ》さん。ティナのお腹《なか》がぺったんこになっている」

「ああ。ティナが子犬《こいぬ》を産《う》んだ」

きのうまでぱんぱんに大《おお》きかったティナのお腹《なか》が、たいらになっていたのです。

ティナが子育《こそだ》てをしているネグラは、川岸《かわぎし》の葦《あし》の茂《しげ》みのなかにありました。

弘子《ひろこ》さんと八木《やぎ》さんは、土手《どて》に登《のぼ》りました。そして、二〇〇メートルくらいはなれた茂《しげ》みにおおわれたティナのネグラを双眼鏡《そうがんきょう》でのぞいてみました。すると、四つの塊《かたまり》が動《うご》いているのがみえました。みなで集《あつ》まっていると安心《あんしん》するのか、四つの命《いのち》は身体《からだ》を寄《よ》せ合《あ》っていました。四匹《ひき》の子犬《こいぬ》たちの父犬《ちちいぬ》である群《む》れのリーダー「クロ」は、あまりネグラにはいないようです。

弘子《ひろこ》さんは、ティナのネグラを確認《かくにん》すると、この日《ひ》から二五日後《にちご》に子犬《こいぬ》たちを保護《ほご》しようと決《き》めました。産《う》まれて二五日《にち》なら、母犬《ははいぬ》と引《ひ》きはなしてもだいじょうぶな時期《じき》です。それに子犬《こいぬ》たちがネグラを拠点《きょてん》として、あまり動《うご》かない時期《じき》である生後《せいご》一カ月《げつ》までに保護《ほご》しようと考《かんが》えていたのです。

ヒメの産《う》んだ子犬《こいぬ》たちを保護《ほご》しようとしたときは、生後《せいご》三五日《にち》をすぎていて、子犬《こいぬ》たちがすばしこく歩《ある》きはじめて、葦《あし》やバラの茂《しげ》みのなかではつかまえることができなくなってしまったからです。

保護《ほご》予定日《よていび》の十日前《とおかまえ》になりました。

弘子《ひろこ》さんはネグラの位置《いち》を確認《かくにん》するため、食事《しょくじ》を終《お》えたティナのあとについていきました。もちろん、ティナにみつからないように注意《ちゅうい》を払《はら》ってです。みつかったらネグラを移《うつ》してしまう可能性《かのうせい》があったからです。

弘子《ひろこ》さんは、ティナがネグラからはなれるのを待《ま》って、葦《あし》の茂《しげ》みのなかにはいっていきました。すると、葦《あし》がぼうぼうと茂《しげ》っているなかに一メートル四方《ほう》の土《つち》を掘《ほ》った平地《へいち》がありました。そこには、たしかに四つの命《いのち》が動《うご》いていました。

子犬《こいぬ》にふれると、ティナ親子《おやこ》がどこかへいってしまうような気《き》がした弘子《ひろこ》さんは、静《しず》かにその場《ば》を去《さ》りました。

保護《ほご》の日《ひ》までの十日間《とおかかん》、弘子《ひろこ》さんはティナが三島江《みしまえ》公園《こうえん》まで食《た》べにくることが、子犬《こいぬ》たちの元気《げんき》な証拠《しょうこ》だと思《おも》っていました。

ところが、とんでもない事件《じけん》が起《お》こってしまうのです。

＊　＊

二〇〇一年《ねん》五月《がつ》三日《みっか》。

この日《ひ》は、弘子《ひろこ》さんの知《し》り合《あ》いの訓練士《くんれんし》である高木《たかぎ》久美子《くみこ》さんが行《おこ》なうアジリティー（犬《いぬ》の運動能力《うんどうのうりょく》や頭《あたま》のよさを競《きそ》う大会《たいかい》）をみにいく日《ひ》でした。

子犬《こいぬ》たちの保護《ほご》予定日《よていび》は、次《つぎ》の日《ひ》でした。だけどなにか、胸騒《むなさわ》ぎがしました。

河川敷《かせんじき》の四匹《ひき》の子犬《こいぬ》たちはだいじょうぶだろうか……きょう、ティナの子《こ》どもたちを保護《ほご》したほうがいいのではないかしら……

太陽《たいよう》は昇《のぼ》りはじめたばかりです。

弘子《ひろこ》さんは、八木《やぎ》さんに連絡《れんらく》をとり、朝《あさ》の九時《じ》すぎに三島江《みしまえ》公園《こうえん》の駐車場《ちゅうしゃじょう》に到着《とうちゃく》しました。さっそく、八木《やぎ》さんの自動車《じどうしゃ》から降《お》りた弘子《ひろこ》さんは、ティナのネグラにむかいました。

十日《とおか》のあいだに葦《あし》がまた伸《の》びたようで、三メートル近《ちか》い高《たか》さになっていました。

弘子《ひろこ》さんが葦《あし》をかき分《わ》けて、ネグラにたどり着《つ》くと、もぬけのからでした。周辺《しゅうへん》を見渡《みわた》してもティナと子犬《こいぬ》たちはいません。

あれ、どこにいってしまったのだろう……!?

わたしがネグラをみにきたから、ティナは子犬《こいぬ》を連《つ》れて移動《いどう》してしまったのかな……!?

それでも四匹《ひき》の子犬《こいぬ》を連《つ》れているのだから、それほど遠《とお》くにいってはいないはずだ……と想像《そうぞう》を巡《めぐ》らせていたときです。

クゥン

クゥウウウン

クゥン

風《かぜ》にのって、子犬《こいぬ》の声《こえ》が聞《き》こえてきました。

弘子《ひろこ》さんは、子犬《こいぬ》の鳴《な》き声《ごえ》のする方向《ほうこう》の葦《あし》をかき分《わ》け歩《ある》きました。

すると、ネグラから十メートルくらいはなれた葦《あし》の茂《しげ》みに、二匹《ひき》の黒《くろ》い子《こ》犬《いぬ》と一匹《ぴき》の茶色《ちゃいろ》い子犬《こいぬ》が、小《ちい》さい身体《からだ》をかくしていました。
あとの一匹《ぴき》は、どこにいってしまったのだろう……!?
ティナは五、六歩《ぽ》はなれたところにいて「なにしにきたんだ!」という顔《かお》をしていました。
クゥゥゥン
クゥゥゥン
クゥゥゥン
子犬《こいぬ》たちは、弘子《ひろこ》さんになにかをうったえかけるように、異常《いじょう》に激《はげ》しく鳴《な》いています。三匹《びき》ともすでに目《め》がみえるらしく、しっかり瞳《ひとみ》を開《ひら》いていました。
弘子《ひろこ》さんは、ティナに「ごめんね、子犬《こいぬ》たちのためだから」と心《こころ》のなかでつぶやきました。そして、子犬《こいぬ》を保護《ほご》するために持《も》っていた布製《ぬのせい》の大《おお》きな袋《ふくろ》の口《くち》を広《ひろ》げました。

ティナに気《き》づかれないよう三匹《びき》を袋《ふくろ》にいれて、駐車場《ちゅうしゃじょう》で待《ま》っている八木《やぎ》さんのところまで運《はこ》んでいきました。

「八木《やぎ》さん。ネグラが移動《いどう》していて、三匹《びき》はみつかったけれど、あと一匹《ぴき》がみつからなくて保護《ほご》できないの」

「そうか。どこへいってしまったのだろう……」

「もう一度《ど》、探《さが》しにいってくるわ」

「ああ、気《き》をつけてな」

クンクンクゥン
クンクンクゥン
クンクンクゥン
三匹《びき》の子犬《こいぬ》は、相変《あいか》わらず、なにかを言《い》いたそうに鳴《な》きつづけています。

「八木《やぎ》さん、この子犬《こいぬ》をみていてね」

「ああ、任《まか》せておけ」

と、八木《やぎ》さんが抱《だ》き上《あ》げた茶色《ちゃいろ》い子犬《こいぬ》を弘子《ひろこ》さんが指《ゆび》さしました。

「あれ、この子犬《こいぬ》……」

「えっ!? どうかした?」

「この子犬《こいぬ》の耳《みみ》、なんか変《へん》じゃない?」

「あっ!」

八木《やぎ》さんが大声《おおごえ》をあげました。

「ねっ、この茶色《ちゃいろ》の子犬《こいぬ》、耳《みみ》が短《みじか》いでしょ?」

「イタチにでも耳《みみ》をかじられたのかな。あのあたりは、イタチが出《で》るみたいだから」

「二週間前《しゅうかんまえ》に子犬《こいぬ》たちをみたときはなんでもなかったのに……。もう少《すこ》し早《はや》く、保護《ほご》してあげればよかったかなぁ。じゃあ、あと一匹《びき》を探《さが》してくるわね」

と、弘子《ひろこ》さんが、ティナのネグラにむかおうとしたときです。

「あっ!!」

八木《やぎ》さんが、もう一度大声《どおおごえ》をあげました。

「どうしたの？」

「この黒《くろ》い子犬《こいぬ》たちも耳《みみ》が変《へん》だぞ！」

次《つぎ》の瞬間《しゅんかん》、弘子《ひろこ》さんは声《こえ》を震《ふる》わせながら言《い》いました。

「耳《みみ》が短《みじか》いわけじゃない。イタチにかじられたわけでもない」

「……？」

「だれかに切《き》りとられたのよ!!」

弘子《ひろこ》さんと八木《やぎ》さんは、三匹《びき》の子犬《こいぬ》を駐車場《ちゅうしゃじょう》の地面《じめん》に並《なら》べました。そして耳《みみ》もとの毛《け》をかきわけてみました。

「本当《ほんとう》だ。切《き》られた跡《あと》がある」

弘子《ひろこ》さんが耳《みみ》をなでるように手《て》をふれました。

「もっと早《はや》くわたしがあんたたちを保護《ほご》していれば、こんな目《め》にはあわなかったのに……」

「あれ！　前足《まえあし》の指《ゆび》も短《みじか》い!!」

弘子《ひろこ》さんは、八木《やぎ》さんにそう言《い》われて、視線《しせん》を子犬《こいぬ》たちの足《あし》もとにむけました。すると、本当《ほんとう》に前足《まえあし》の指《ゆび》も短《みじか》かったのです。

ふたりは一度《ど》、顔《かお》を見合《みあ》わせてから、注意深《ちゅういぶか》く子犬《こいぬ》の足元《あしもと》に視線《しせん》を落《お》としました。

ふたりは同時《どうじ》に声《こえ》をあげました。

「指《ゆび》も切《き》られてる!!」

三匹《びき》の子犬《こいぬ》たちの前足《まえあし》の指《ゆび》は、ナニモノかによって切《き》り落《お》とされた跡《あと》が残《のこ》っていたのです。

このとき、弘子《ひろこ》さんは言《い》いました。

「そういえば、ティナの右《みぎ》うしろ足《あし》が不自由《ふじゆう》なのは、産《う》まれつきではなく、ひょっとして……」

「ひょっとして……？」

「そう、ひょっとして人間《にんげん》に切《き》りとられてしまったんじゃないかなぁ」

「弘子《ひろこ》さん。その可能性《かのうせい》はあるよ」

「いまにして思《おも》えば、ティナは産《う》まれて目《め》の開《あ》かないときに、異常《いじょう》に激《はげ》しく鳴《な》いていたのよ。子犬《こいぬ》がものすごい勢《いきお》いで鳴《な》くなんてよほどのことだったのよ。あのときには、足《あし》をどうにかされてしまっていたのかもしれないわ。相《そう》当《とう》に痛《いた》かったんだろうなぁ」

そしてふたりは、もう一匹《ぴき》の子犬《こいぬ》のことを思《おも》いました。

あとの一匹《ぴき》は、だいじょうぶなのだろうか……。

生《い》きているのだろうか……。

弘子《ひろこ》さんは駐車場《ちゅうしゃじょう》から、ネグラのある葦《あし》の茂《しげ》みに走《はし》り出《だ》しました。

三匹《びき》の子犬《こいぬ》をダンボール箱《ばこ》にいれて、自動車《じどうしゃ》の座席《ざせき》に乗《の》せた八木《やぎ》さんも、うしろから走《はし》ってきました。

ワン、ワン、ワワワワン

ネグラでは子犬《こいぬ》がいなくなったことに気《き》づいたティナが、興奮《こうふん》して弘子《ひろこ》さんと八木《やぎ》さんにむかって吠《ほ》えたてました。

「もう一匹《ぴき》の子犬《こいぬ》は、このネグラから遠《とお》くないところにいるはずよ」

「そうだといいね。耳《みみ》や指《ゆび》が無事《ぶじ》だといいけれど……」

「ひょっとしたら、ネグラはほかにもあるかもしれない。バラの茂《しげ》みの下《した》は巣《す》になりやすいし」

ふたりは、無事《ぶじ》でいてくれ、早《はや》く出《で》てきてくれ、と心《こころ》のなかでねがいながら子犬《こいぬ》を探《さが》しました。

八木《やぎ》さんが、ネグラから五メートルほどはなれたバラの茂《しげ》みを指《ゆび》さしました。

「あ、あそこ！」

「どこ、どこ？」

クウン、クウン、クウウン

鋭《するど》いとげのあるバラの枝《えだ》に囲《かこ》まれて、黒《くろ》い子犬《こいぬ》が、やはりなにかをうったえるように鳴《な》いていました。

茂《しげ》みの外《そと》からでは、子犬《こいぬ》に手《て》が届《とど》きません。かといって、鋭《するど》いバラのトゲが生《は》えている茂《しげ》みのなかには、たやすく人間《にんげん》ははいれません。それでも八木《やぎ》さんより身体《からだ》の小《ちい》さな女性《じょせい》の弘子《ひろこ》さんのほうが、狭《せま》いところにはいっていくのは有利《ゆうり》です。

弘子《ひろこ》さんと八木《やぎ》さんは、どこから茂《しげ》みにはいっていけばいいのか考《かんが》えていました。

クゥン、クゥウン

茂《しげ》みのなかの子犬《こいぬ》は、指《ゆび》をなめはじめました。

ああ、この子犬《こいぬ》も指《ゆび》を切《き》られているんだ。とすると、耳《みみ》も切《き》られているに違《ちが》いない……

そう思《おも》うと、いてもたってもいられなくなった弘子《ひろこ》さんは、地面《じめん》に腹《はら》ばいになって、バラの茂《しげ》みのなかへ前進《ぜんしん》していきました。

手《て》でバラをよけて進路《しんろ》を確保《かくほ》しようとすると、とげが手《て》のひらに突《つ》き刺《さ》さってきます。普段《ふだん》は美《うつく》しいバラが、今回《こんかい》ばかりはとても厄介《やっかい》で、恐《おそ》ろしいものに思《おも》えました。それでも弘子《ひろこ》さんは、子犬《こいぬ》の耳《みみ》を切《き》られた痛《いた》みに比《くら》べたら、こんな痛《いた》みなど気《き》にしてはいられないと、少《すこ》しずつ、でも確実《かくじつ》に子犬《こいぬ》のもとに近《ちか》づいていきました。

ようやく右手《みぎて》が子犬《こいぬ》の胴体《どうたい》に届《とど》きました。

弘子《ひろこ》さんは、腹《はら》ばいになりながらも子犬《こいぬ》の耳《みみ》と前足《まえあし》をまっさきに確認《かくにん》しました。

やっぱり!!

弘子《ひろこ》さんは、抱《だ》き寄《よ》せた子犬《こいぬ》の傷口《きずぐち》をみて、ショックで気《き》を失《うしな》いそうになりました。

わたしの大好《だいす》きなこの河川敷《かせんじき》でこんな残酷《ざんこく》な事件《じけん》があってはいけない……。

なにかの間違《まちが》いだ……。

けれども、耳《みみ》を、そして指《ゆび》を切《き》られた子犬《こいぬ》が、現実《げんじつ》に目《め》の前《まえ》にいる……。

気《き》をとり直《なお》した弘子《ひろこ》さんは、バラのトゲから子犬《こいぬ》を守《まも》るように手《て》のひらでつつみ込《こ》み、茂《しげ》みの外《そと》に出《で》ました。

弘子《ひろこ》さんと八木《やぎ》さんは、最後《さいご》の一匹《ぴき》も耳《みみ》と前足《まえあし》の指先《ゆびさき》が切断《せつだん》されているのをあらためて確認《かくにん》しました。

八木《やぎ》さんは怒《いか》りに震《ふる》えました。

「いったい、誰《だれ》がこんなにひどいことをしたんだ!!」

ふたりは四匹目《ひきめ》の子犬《こいぬ》をかかえ、先《さき》に保護《ほご》した三匹《びき》の子犬《こいぬ》が待《ま》つ駐車場《ちゅうしゃじょう》にもどりました。そして、最後《さいご》の一匹《ぴき》をダンボール箱《ばこ》にいれました。

箱《はこ》のなかには四匹《ひき》の子犬《こいぬ》がそろいました。最初《さいしょ》の三匹《びき》を保護《ほご》してから、すでに三〇分近《ぷんちか》くが経過《けいか》していました。

弘子《ひろこ》さんは残念《ざんねん》でなりませんでした。

無理《むり》して母犬《ははいぬ》からはなして保護《ほご》するのだから、子犬《こいぬ》たちには幸《しあわ》せになってもらいたかった……。それなのに、こんな姿《すがた》になってしまって……。

ふたりは、子犬《こいぬ》の傷口《きずぐち》をみました。

前足《まえあし》の痛々《いたいた》しい傷口《きずぐち》をなめている子犬《こいぬ》たちをみて、八木《やぎ》さんがぽそっとつぶやきました。

「この傷口《きずぐち》は、きょうやきのうのものではないな」

傷口《きずぐち》はピンク色《いろ》で血《ち》は出《で》ていません。耳《みみ》は毛《け》もいっしょに切《き》られていました。

弘子《ひろこ》さんが言《い》いました。

「ナイフやカッターで毛《け》を切《き》ることはむずかしいわ。これは、ハサミによる仕業《しわざ》に違《ちが》いないと思《おも》うの」

「ああ、そうだなぁ」

「八木《やぎ》さん。子犬《こいぬ》たちは、こんなに痛《いた》い思《おも》いを何日《なんにち》もしていたのでしょうね……」

子犬《こいぬ》たちは、傷口《きずぐち》がよほど痛《いた》いのでしょう、前足《まえあし》の指《ゆび》をなめてつづけて傷《きず》口《ぐち》をいやしています。けれども、なめることができない耳《みみ》は、母犬《ははいぬ》であるティナがなめた跡《あと》がうかがえました。痛々《いたいた》しい傷口《きずぐち》には、新《あたら》しい皮膚《ひふ》が浮《う》き上《あ》がってきています。

弘子《ひろこ》さんは、子犬《こいぬ》たちの生命力《せいめいりょく》のすごさを感《かん》じるとともに、子犬《こいぬ》たちの「これから」に思《おも》いを巡《めぐ》らせました。

「八木《やぎ》さん。もらい手《て》のいない捨《す》て犬《いぬ》がたくさんいるのに、この子犬《こいぬ》たちのように耳《みみ》がなくても里親《さとおや》がみつかるのかしら」

「……」

弘子《ひろこ》さんは、ティナのお腹《なか》にいるときから、この子犬《こいぬ》たちの幸《しあわ》せをねがっていました。それが、このようなとんでもない事態《じたい》になってしまったのです。

この日《ひ》は祝日《しゅくじつ》なので、河川敷《かせんじき》の三島江《みしまえ》公園《こうえん》で遊《あそ》ぶのでしょうか、駐車場《ちゅうしゃじょう》には自動車《じどうしゃ》が増《ふ》えてきました。

小学校低学年《しょうがっこうていがくねん》のわんぱくそうな男《おとこ》の子《こ》と、幼稚園児《ようちえんじ》くらいの目《め》のぱっちりした女《おんな》の子《こ》を連《つ》れた、お父《とう》さんとお母《かあ》さんの、楽《たの》しそうな姿《すがた》もあります。

弘子《ひろこ》さんたちのそばに、男《おとこ》の子《こ》と女《おんな》の子《こ》が近《ちか》づいてきました。

「子犬《こいぬ》だ。かわいいなぁ」

「ワンちゃんだ。かわいいなぁ」

八木《やぎ》さんは、兄妹《きょうだい》に子犬《こいぬ》がみえるように箱《はこ》をかたむけました。

弘子《ひろこ》さんは、ふたりに言《い》いました。

「そうよ、ワンちゃんよ。でも、みんな耳《みみ》がないでしょ」

女《おんな》の子《こ》は表情《ひょうじょう》を変《か》えずに、手《て》を出《だ》して子犬《こいぬ》にふれました。

「耳《みみ》はないけれど、かわいいよ」

このひと言《こと》に弘子《ひろこ》さんと八木《やぎ》さんは、勇気《ゆうき》づけられました。

耳《みみ》は切《き》りとられてしまったけれど、命《いのち》がなくなったわけではない……。

耳《みみ》と足先《あしさき》を切《き》られた4匹《ひき》の子犬《こいぬ》たち

パセリ(のちにプー)

ローズマリー(のちにお玉《たま》)

タイム(のちにエル)

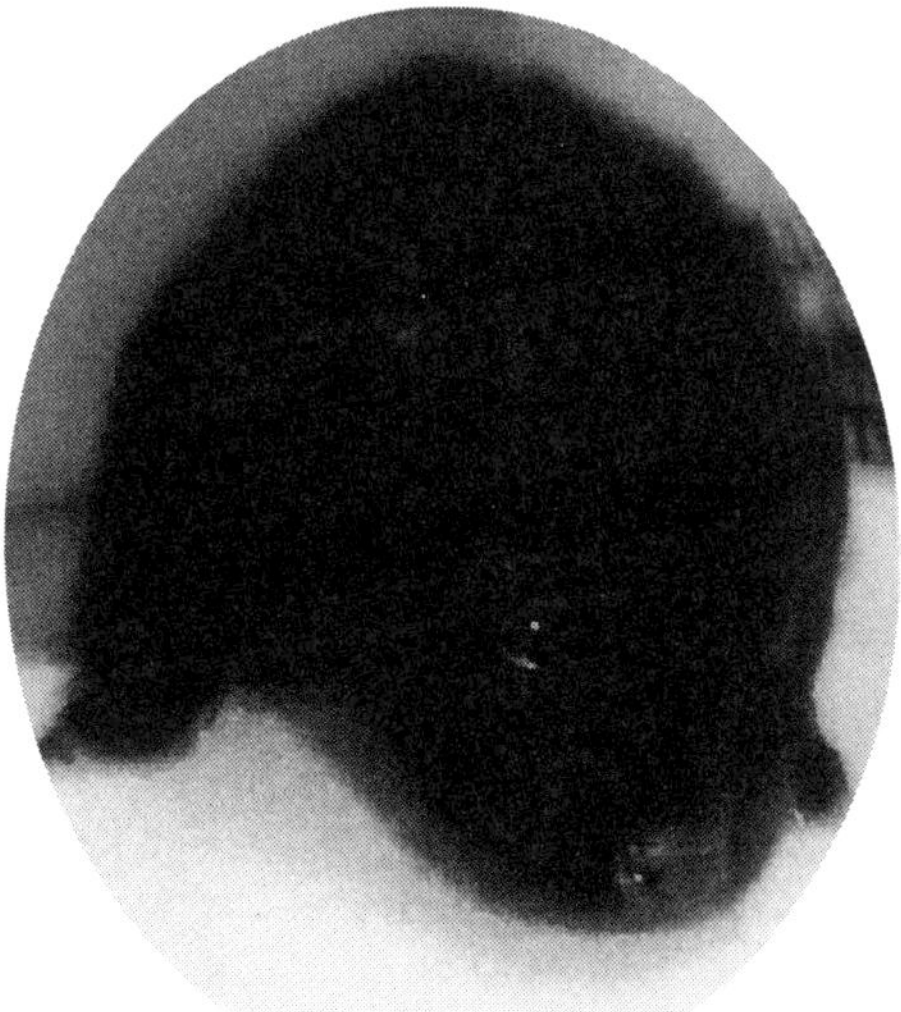

セイジ(のちにミムジー)

耳《みみ》のない四匹《ひき》の子犬《こいぬ》をかならず幸《しあわ》せにするんだ……。

そんなことを思《おも》いながら、八木《やぎ》さんと弘子《ひろこ》さんは、子犬《こいぬ》たちを自動車《じどうしゃ》に乗《の》せました。

八木《やぎ》さんの自動車《じどうしゃ》は、子犬《こいぬ》たちの手当《てあ》てをするために、弘子《ひろこ》さんの知《し》っている動物病院《どうぶつびょういん》へむかいました。しかし、休日《きゅうじつ》ということもあり、動物病院《どうぶつびょういん》は閉《し》まっていました。そこではじめて、この日《ひ》はどこの動物病院《どうぶつびょういん》も休《やす》みだということに気《き》がつきました。

そのあいだも、子犬《こいぬ》たちは、ひたすら前足《まえあし》の指《ゆび》の傷《きず》をなめています。そして、なめ疲《つか》れると、なにかをうったえるように鳴《な》きはじめます。

クゥウン、クゥウン

困《こま》った弘子《ひろこ》さんの頭《あたま》に、とっさに「ハッピーハウス」が浮《う》かびました。ハッピーハウスに相談《そうだん》してみよう……。

以前《いぜん》「ハッピーハウス」に、河川敷《かせんじき》の犬《いぬ》たちのことで電話《でんわ》して、とても的《てき》確《かく》な指示《しじ》をもらったことを覚《おぼ》えていたのです。

弘子《ひろこ》さんは、ワラにもすがる気持《きも》ちで、「ハッピーハウス」の電話《でんわ》番号《ばんごう》を押《お》しました。

弘子《ひろこ》さんの携帯《けいたい》電話《でんわ》から、はきはきした「ハッピーハウス」の代表《だいひょう》・甲斐《かい》尚子《なおこ》さんの声《こえ》が聞《き》こえてきました。

「はい、ハッピーハウスです」

一匹《ぴき》の樺太犬《からふとけん》へのつぐない

「ハッピーハウス」は、大阪市《おおさかし》の中心街《ちゅうしんがい》である梅田《うめだ》から阪急宝塚線《はんきゅうたからづかせん》と能勢電《のせでん》鉄《てつ》を乗《の》りついで、終点《しゅうてん》の妙見口《みょうけんぐち》という駅《えき》で降《お》ります。そこから、歩《ある》いて一時間《じかん》ほどの草深《くさぶか》い山里《やまざと》にあります。

「ハッピーハウス」では、一六〇〇坪《つぼ》の借地《しゃくち》に、現在《げんざい》は四〇〇匹《ぴき》を超《こ》える犬《いぬ》や猫《ねこ》、狸《たぬき》などが保護《ほご》されています。

この「ハッピーハウス」をつくったのは、甲斐尚子《かいなおこ》さんというとても明《あか》るく、そしてきびしく、なによりやさしいひとりの女性《じょせい》です。

＊　＊

甲斐《かい》さんは静岡県《しずおかけん》で生《う》まれました。その後《ご》、福岡《ふくおか》や京都《きょうと》などで着物《きもの》の染色《せんしょく》の仕事《しごと》をしていました。

一九八〇年《ねん》、甲斐《かい》さんは、親《した》しい人《ひと》が入院《にゅういん》している枚方市《ひらかたし》にある療養所《りょうようじょ》へお見舞《みま》いにいきました。

療養所《りょうようじょ》には、三〇〇人《にん》以上《いじょう》の患者《かんじゃ》さんが入院《にゅういん》していました。

そこに、「クロ」という二歳《さい》になる若々《わかわか》しい樺太犬《からふとけん》が飼《か》われていました。

樺太犬《からふとけん》はきびしい寒《さむ》さに耐《た》えることができる犬《いぬ》で、クロは名前《なまえ》のとおりの真《ま》っ黒《くろ》なオス犬《いぬ》でした。

本来《ほんらい》は療養所《りょうようじょ》で犬《いぬ》を飼《か》うことは禁止《きんし》されていました。そんなクロが療養所《りょうようじょ》にいたのは、ある患者《かんじゃ》さんが、たってのねがいで連《つ》れてきて、退院《たいいん》するときに事情《じじょう》で飼《か》えなくなり、おいていってしまったからです。

そしてなによりも、ほかの患者《かんじゃ》さんの「クロを療養所《りょうようじょ》においてほしい」という希望《きぼう》をかなえたのです。こうしてクロは長《なが》い療養生活《りょうようせいかつ》が必要《ひつよう》な患者《かんじゃ》さんの心《こころ》のよりどころとなっていきました。

動物《どうぶつ》が好《す》きだった甲斐《かい》さんは、療養所《りょうようじょ》をおとずれるたびにクロと親《した》しくなっていきました。

療養所《りょうようじょ》でのクロは、鎖《くさり》につながれていなかったので、周囲《しゅうい》の民家《みんか》にも自由《じゆう》に行《い》き来《き》していました。しかし犬好《いぬず》きな人《ひと》ばかりではありません。病気《びょうき》をしてなにか支《ささ》えがほしい患者《かんじゃ》さんの心《こころ》をなごませていたクロも、犬嫌《いぬぎら》いの人《ひと》にとっては、たんなる野良犬《のらいぬ》でした。

「あんなに大《おお》きな犬《いぬ》がウロウロして、危険《きけん》じゃないか」

「だいたい、病気《びょうき》を治《なお》すための場所《ばしょ》なのに、犬《いぬ》がいては不衛生《ふえいせい》だぞ」

「保健所《ほけんじょ》に通報《つうほう》して、捕獲《ほかく》してもらおうよ」

そんな周囲《しゅうい》の住民《じゅうみん》の声《こえ》に、療養所側《りょうようじょがわ》は困《こま》りはててしまいました。

こうしているうちに、保健所《ほけんじょ》に通報《つうほう》がはいりました。

保健所《ほけんじょ》の捕獲員《ほかくいん》がやってくる前《まえ》に、療養所《りょうようじょ》の看護婦《かんごふ》さんたちが、甲斐《かい》さんに連絡《れんらく》をしてきました。

「甲斐《かい》さん、クロが保健所《ほけんじょ》に連《つ》れていかれてしまいそうなの……。大変《たいへん》よ、殺《ころ》されてしまうかもしれない……」

甲斐《かい》さんは、きっぱりと言《い》いました。

「それでは、わたしが引《ひ》きとります」

＊　＊

「甲斐《かい》さん、クロを助《たす》けてくれてありがとう」

「尚子《なおこ》さん、クロをよろしく頼《たの》むよ」

「たまには、クロを連《つ》れてきてくれよ」

患者《かんじゃ》さんたちは、保健所《ほけんじょ》に連《つ》れていかれて処分《しょぶん》されてしまうくらいなら、クロがいなくなる寂《さみ》しさを我慢《がまん》して、幸《しあわ》せを祈《いの》っておくり出《だ》してくれました。

——数年《すうねん》がすぎました。

甲斐《かい》さんは、猪名川町《いながわちょう》という静《しず》かな土地《とち》で、クロと「ふたり」で暮《く》らしていました。

クロも歳《とし》をとってきて、よろよろとしか歩《ある》けず、目《め》もみえなくなってきました。はじめて療養所《りょうようじょ》で出会《であ》ったときの、たくましかったクロの面影《おもかげ》はありません。

歳月《さいげつ》が巡《めぐ》れば、人間《にんげん》も犬《いぬ》も歳《とし》をとっていきます。けれども、人間《にんげん》と比《くら》べれば「犬《いぬ》の時間《じかん》」は猛《もう》スピードですぎ去《さ》っていきます。

はじめて出会《であ》った子犬《こいぬ》が子《こ》どものようだったのに、しだいに弟《おとうと》や妹《いもうと》のようになり、そして友《とも》だちのようになる。そして、あっという間《ま》に兄《あに》や姉《あね》のようになり、いつの間《ま》にか親《おや》のような存在《そんざい》になっていく。

甲斐《かい》さんにとってのクロも、年老《としお》いた親《おや》のようになっていました。だから父親《ちちおや》の面倒《めんどう》をみるように、いつもクロのことを気《き》にかけていました。もちろん、仕事《しごと》が終《お》わるとクロが待《ま》つ家《いえ》に一目散《いちもくさん》に帰《かえ》ってきていました。

ある日《ひ》のことです。

仕事《しごと》を終《お》えた甲斐《かい》さんが近所《きんじょ》の家《いえ》に立《た》ち寄《よ》って帰《かえ》ると、クロの姿《すがた》がありません。

クロは、どこにいってしまったのだろう……

甲斐《かい》さんは、よろよろとしか歩《ある》けないクロのことだから、そう遠《とお》くにはいっていないだろう思《おも》いながらも、不安《ふあん》でたまりませんでした。

家《いえ》のなかにも、庭《にわ》にも見当《みあ》たりません。

クロ、クロ、どこへいってしまったの。早《はや》く出《で》てきて……

もしや……。

甲斐《かい》さんは、庭《にわ》の外《そと》の崖《がけ》から下《した》をのぞいてみました。すると、二メートルほど下《した》の地面《じめん》に、クロが横《よこ》たわっていました。目《め》がみえず、足《あし》も自由《じゆう》に動《うご》かないクロは、崖《がけ》から落《お》ちてしまったのです。

甲斐《かい》さんは、クロがいる崖下《がけした》に、滑《すべ》るように降《お》りながら思《おも》っていました。きっと帰宅《きたく》の遅《おそ》いわたしを探《さが》して、歩《ある》き回《まわ》っているうちに、崖《がけ》から落《お》ちてしまったんだ、と。

甲斐《かい》さんがそばにいっても、クロはぴくりとも動《うご》きません。

「クロ。クロ！　クロ!!」

甲斐《かい》さんは、クロを抱《だ》きしめました。けれども、クロが目《め》を開《あ》けることは二度《ど》とありませんでした。

多《おお》くの病人《びょうにん》に勇気《ゆうき》やはげましを与《あた》えたクロが、甲斐《かい》さんのもとで静《しず》かに天国《てんごく》へと翔《か》けていったのです。

甲斐《かい》さんの「ひとり」の生活《せいかつ》がはじまりました。

心《こころ》のなかをおおっているのは、クロへの申《もう》しわけなさでした。わたしがまっすぐ家《いえ》に帰《かえ》っていたら、クロはまだ生《い》きていたかもしれない……。

甲斐《かい》さんは、一匹《ぴき》の樺太犬《からふとけん》の命《いのち》を守《まも》れなかった責任《せきにん》を感《かん》じました。

それ以来《いらい》、捨《す》て犬《いぬ》や野良猫《のらねこ》を拾《ひろ》って育《そだ》てるようになりました。仕事《しごと》をしてえたおカネのほとんどを動物《どうぶつ》たちのためにつぎ込《こ》みました。

しだいに犬《いぬ》や猫《ねこ》の数《かず》は増《ふ》えていきました。

こうなると町《まち》で生活《せいかつ》することをあきらめて、広《ひろ》い敷地《しきち》のある田舎《いなか》に家《いえ》を借《か》りました。このときには、犬《いぬ》は一〇匹《ぴき》、猫《ねこ》は八〇匹《ぴき》にもなっていました。しばらくすると、家《いえ》の大家《おおや》さんが、「犬《いぬ》や猫《ねこ》を飼《か》っては困《こま》ります」と甲斐《かい》さんに言《い》ってくるようになりました。大家《おおや》さんは、甲斐《かい》さんが住《す》んでいる家《いえ》を売《う》ってしまいたいと考《かんが》えていたのです。

甲斐《かい》さんは、追《お》い出《だ》されるように、犬《いぬ》や猫《ねこ》たちを連《つ》れて家《いえ》を出《で》ました。そして、大阪府《おおさかふ》のなかでは、もっとも自然《しぜん》が残《のこ》っている能勢町《のせちょう》にある山林《さんりん》を借《か》りることにしました。

ここなら、自分《じぶん》が保護《ほご》している犬《いぬ》や猫《ねこ》たちと思《おも》う存分《ぞんぶん》、生活《せいかつ》ができる……。甲斐《かい》さんは、ようやく安心《あんしん》しました。

甲斐《かい》さんが、動物《どうぶつ》たちと生活《せいかつ》をはじめて、しばらくすると、犬《いぬ》や猫《ねこ》を連《つ》れて訪《たず》ねてくる人《ひと》が現《あらわ》れました。

「この犬《いぬ》を飼《か》えなくなってしまいました。引《ひ》きとってくださいませんか」

「猫《ねこ》が子《こ》どもを産《う》んでしまって困《こま》っています。なんとか育《そだ》ててくれませんか」

甲斐《かい》さんは、飼《か》い主《ぬし》たちにきつく言《い》います。

「動物《どうぶつ》たちだって、命《いのち》があるのです。不用《ふよう》な命《いのち》なんて、ないんですよ。愛《いとお》しくて、二度《ど》ととり返《かえ》しのつかないものが命《いのち》なんです」

犬《いぬ》や猫《ねこ》を持《も》ってきた人《ひと》たちに「命《いのち》の尊《とおと》さ」を話《はな》してから、甲斐《かい》さんは動物《どうぶつ》たちを引《ひ》きとりました。

このときには、仕事《しごと》を持《も》っている女性《じょせい》がひとりで世話《せわ》をする限界《げんかい》をはるかに越《こ》えていました。それでも甲斐《かい》さんは、保護《ほご》をつづけました。

そのあとも、犬《いぬ》や猫《ねこ》を持《も》ってくる人《ひと》があとをたちませんでした。

一九九〇年《ねん》、甲斐《かい》さんの家《いえ》は、犬《いぬ》と猫《ねこ》を合《あ》わせて一〇〇匹近《ぴきちか》くが暮《く》らす大《おお》所帯《じょたい》になりました。

甲斐《かい》さんは、それならば……と、この敷地《しきち》に「動物《どうぶつ》の孤児院《こじいん》・ハッピーハウス」をつくりました。名前《なまえ》には〈ハウスにやってくる犬《いぬ》は、それぞれ物語《ものがたり》がある。それは、けっして幸《しあわ》せな物語《ものがたり》ではない。せめてハウスにきてからは、幸《しあわ》せになってほしい。そして、ハウスから旅立《たびだ》っていくときには、もっと幸福《こうふく》になってね〉という意味《いみ》が込《こ》められています。

甲斐《かい》さんは、この「ハッピーハウス」の活動《かつどう》に自分《じぶん》の残《のこ》りの人生《じんせい》をかけてみよう……動物《どうぶつ》たちの命《いのち》を救《すく》えるのなら、わたしの命《いのち》をいくらでも使《つか》ってみよう……と決意《けつい》したのです。

「ハッピーハウス」は、どんなに瀕死《ひんし》の状態《じょうたい》の犬《いぬ》や猫《ねこ》がきても、できうるかぎりの手当《てあ》てを行《おこ》ないました。天《てん》から与《あた》えられた寿命《じゅみょう》をまっとうできるようにしているのです。

その後《ご》、甲斐《かい》さんの活動《かつどう》を応援《おうえん》する人《ひと》たちも増《ふ》えてきました。

＊　＊

一九九五年《ねん》一月《がつ》一七日《にち》に、「阪神《はんしん》淡路《あわじ》大震災《だいしんさい》」がありました。

大阪《おおさか》の北部《ほくぶ》にあり、神戸《こうべ》とは三〇キロほどはなれている「ハッピーハウス」

は無事《ぶじ》でした。けれども神戸《こうべ》の周辺《しゅうへん》の町《まち》で、飼《か》い主《ぬし》を失《うしな》ったり、迷《まよ》ったりはぐれたりした犬《いぬ》や猫《ねこ》が三五〇匹《ぴき》もハウスに保護《ほご》されました。

地震《じしん》が起《お》こる前《まえ》にいた一〇〇匹《ぴき》ほどの犬《いぬ》や猫《ねこ》たちの世話《せわ》だけでもたいへんだったのに、ハウスの動物《どうぶつ》たちは一度《ど》に四五〇匹《ぴき》に増《ふ》えて、緊急事態《きんきゅうじたい》に陥《おちい》ってしまいました。

そこで、新聞《しんぶん》にボランティア募集《ぼしゅう》の広告《こうこく》を出《だ》しました。すると、神戸《こうべ》の犬《いぬ》や猫《ねこ》を救《すく》おうと「ハッピーハウス」に集《あつ》まってきたボランティアが、山《やま》を整地《せいち》して犬舎《けんしゃ》をつくりはじめました。板《いた》を組《く》み、それにネットを打《う》ちつけていく質素《しっそ》なものです。

また甲斐《かい》さんは、神戸《こうべ》の地震《じしん》が起《お》こる前《まえ》に、里子《さとご》として神戸周辺《こうべしゅうへん》にもらわれていった犬《いぬ》や猫《ねこ》が心配《しんぱい》でした。

甲斐《かい》さんは、震災《しんさい》の日《ひ》から、里親《さとおや》さんに電話《でんわ》をしました。でも電話《でんわ》も通《つう》じなくなってしまった家《いえ》もあります。

そこでボランティアの男性《だんせい》に、オートバイで神戸周辺《こうべしゅうへん》の町《まち》を回《まわ》り、ビラを貼《は》ってもらいました。

「ハッピーハウス」から旅立《たびだ》った動物《どうぶつ》たちの関係者《かんけいしゃ》で困《こま》っている方《かた》は、ご連絡《れんらく》ください。　ハッピーハウス

するど、ビラをみた人《ひと》からハウスに電話《でんわ》がかかってきました。

〈家《いえ》が壊《こわ》れてしまいました。命《いのち》は無事《ぶじ》でしたが犬《いぬ》をよろしくおねがいします〉

〈仮住《かりず》まいになり猫《ねこ》が飼《か》えません。家《いえ》を建《た》てなおすまで、あずかっていてください〉

〈犬《いぬ》が骨折《こっせつ》して歩《ある》けません。わたしも骨折《こっせつ》してしまい、家《いえ》の前《まえ》の公園《こうえん》につないでいます〉

〈飼《か》い主《ぬし》が全員亡《ぜんいんな》くなって、犬《いぬ》だけが生《い》き残《のこ》っているみたいですが……〉

このように相談《そうだん》をしてきた人《ひと》の犬《いぬ》や猫《ねこ》は、ハウスで面倒《めんどう》をみたのです。その後《ご》、神戸《こうべ》の町《まち》の復旧作業《ふっきゅうさぎょう》が行《おこ》なわれるなかで、甲斐《かい》さんは「迷《まよ》い犬《いぬ》」や「はぐれ猫《ねこ》」の里親《さとおや》を探《さが》しつづけました。

震災《しんさい》の犬《いぬ》や猫《ねこ》の里親探《さとおやさが》しが一段落《いちだんらく》すると、「ハッピーハウス」には借金《しゃっきん》だけが残《のこ》りました。

このままではハウスがつぶれてしまう……。

二〇〇〇年《ねん》、甲斐《かい》さんは「ハッピーハウス」を正式《せいしき》に「NPO《エヌピーオー》法人《ほうじん》 甲斐《かい》アニマルトラスト」にすることができました。「NPO《エヌピーオー》法人《ほうじん》」は、国《くに》から認可《にんか》された非営利団体《ひえいりだんたい》です。法人《ほうじん》にしておけば、自分《じぶん》になにかあったときでも、施《し》設《せつ》が残《のこ》ると、甲斐《かい》さんは考《かんが》えたのです。

現在《げんざい》「ハッピーハウス」では、犬《いぬ》の訓練士《くんれんし》を含《ふく》めて二〇人《にん》ほどの職員《しょくいん》と五、六人《にん》のアルバイトの若者《わかもの》が働《はたら》くようになりました。それに加《くわ》えて、週末《しゅうまつ》や祝《しゅく》日《じつ》には幅広《はばひろ》い年齢《ねんれい》の人《ひと》たちがボランティアスタッフとして、犬舎《けんしゃ》の掃除《そうじ》や

動物《どうぶつ》の保護活動《ほごかつどう》をする甲斐《かい》さん。

散歩《さんぽ》などを手伝《てつだ》ってくれるようになりました。

甲斐《かい》さんは、たくさんの犬《いぬ》や猫《ねこ》、多《おお》くのスタッフたちとのいそがしい生活《せいかつ》を再《さい》スタートさせました。

このようなあわただしい生活《せいかつ》のなかでも、いつも心《こころ》の片隅《かたすみ》に、忘《わす》れられない思《おも》いがあります。それはあの「樺太犬《からふとけん》クロ」のことです。

クロの命《いのち》を最後《さいご》まで守《まも》ってあげられなかったことへのつぐないが、甲斐《かい》さんの気持《きも》ちを支《ささ》えているのです。

そんな甲斐《かい》さんが、いままでに出合《であ》ったことのない動物虐待《どうぶつぎゃくたい》事件《じけん》に遭遇《そうぐう》したのが、二〇〇一年《ねん》五月《がつ》三日《みっか》のことです。

「ハッピーハウス」の電話《でんわ》が鳴《な》りました。

「はい、ハッピーハウスです」

甲斐《かい》さんが受話器《じゅわき》をとると、子犬《こいぬ》の痛々《いたいた》しい事件《じけん》を告《つ》げる声《こえ》が聞《き》こえてきました。

耳《みみ》がなくても幸《しあわ》せになれる

「大阪《おおさか》の高槻市《たかつきし》の中山《なかやま》ですが、淀川《よどがわ》の河川敷《かせんじき》で耳《みみ》と足《あし》の指先《ゆびさき》を切断《せつだん》された四匹《ひき》の子犬《こいぬ》を保護《ほご》したのですが……」

「えっ！　なんですって!?」

「動物病院《どうぶつびょういん》はどこも休《やす》みで、どうすればいいでしょうか？」

「高槻市《たかつきし》のとなり町《まち》の茨木市《いばらきし》に知《し》り合《あ》いの獣医《じゅうい》さんがいます。その先生《せんせい》に状況《じょうきょう》を連絡《れんらく》しておきますから、すぐに連《つ》れていってみて」

「はい、そうします」

「そのあとでだいじょうぶな状態《じょうたい》なら、里親《さとおや》に出《だ》すまで、保護《ほご》しましょうか」

「ありがとうございます」

弘子《ひろこ》さんは「ハッピーハウス」に電話《でんわ》したあと、八木《やぎ》さんの自動車《じどうしゃ》でその町《まち》の獣医《じゅうい》さんのもとへ「耳《みみ》を切《き》られた四匹《ひき》の子犬《こいぬ》」を連《つ》れていきました。

そのあと、ふたりは「ハッピーハウス」にむかいました。

弘子《ひろこ》さんと八木《やぎ》さんは自動車《じどうしゃ》のなかで話《はな》していました。

「八木《やぎ》さん。さっきも思《おも》ったけれど、こんなことになることがわかっていたなら、この子犬《こいぬ》たちをもっと早《はや》く保護《ほご》してあげればよかった」

八木《やぎ》さんは、ハンドルを握《にぎ》りながら言《い》いました。

「弘子《ひろこ》さん。それはしょうがないよ。まさかこんなにひどい虐待《ぎゃくたい》をされるなんて誰《だれ》も思《おも》いはしないもんなぁ」

弘子《ひろこ》さんは、うしろの座席《ざせき》に置《お》いた箱《はこ》のなかの子犬《こいぬ》たちの耳元《みみもと》をみつめました。

「でもはじめてみた日《ひ》に保護《ほご》していれば、子犬《こいぬ》たちは、耳《みみ》を持《も》って生《い》きていくことができたはずよ」

「それは、あんな事件《じけん》が起《お》こったから思《おも》うだけで、もしその時期《じき》に保護《ほご》しても、まだ食《た》べ物《もの》を食《た》べられないだろうし……。そんなに早《はや》く子犬《こいぬ》を母犬《ははいぬ》から引《ひ》きはなしてしまうのも、かわいそうだよ」

「そうね。本当《ほんとう》は二五日目《にちめ》で保護《ほご》するのもかわいそうだと思《おも》っているのに……。それにしても、なぜ人《ひと》は犬《いぬ》を捨《す》てるのでしょうね？　もともと野良犬《のらいぬ》なんていないのに……。捨《す》てられた犬《いぬ》が、野良犬《のらいぬ》になってしまうのよ」

「そうだなぁ。あの河川敷《かせんじき》に野良犬《のらいぬ》がいるのも、もともと町《まち》のどこかに捨《す》てられた犬《いぬ》が、いくあてもなくやってきたのだからなぁ」

「悪《わる》いのは犬《いぬ》を捨《す》てた人間《にんげん》よ。でも犬《いぬ》はつかまえられ殺《ころ》されてしまう。犬《いぬ》を捨《す》てた人《ひと》、傷《きず》つけた人《ひと》は罰《ばっ》せられずに……。こんなことが、あっていいの？」

「そうだね」

「わたしが子《こ》どものころには、町《まち》のなかに野良犬《のらいぬ》や放《はな》し飼《が》いの犬《いぬ》がいて……。でも、そのころの人《ひと》たちって、もっと、犬《いぬ》にやさしかったような気《き》がするの……」

「ただ、犬嫌《いぬぎら》いの人《ひと》もいるし、犬《いぬ》を怖《こわ》いと思《おも》う人《ひと》もいる。そんな人《ひと》が保健所《ほけんじょ》に通報《つうほう》するのはしかたがないよ」

「そうして犬《いぬ》たちはつかまって、殺《ころ》されてしまう。犬同士《いぬどうし》のケンカや病気《びょうき》で命《いのち》を落《お》とすのではなく、人間《にんげん》によって捨《す》てられ、人間《にんげん》につかまえられ、人間《にんげん》によって殺《ころ》される。それじゃあ、アリやミツバチに産《う》まれてきたほうが幸《しあわ》せよ」

「でも、犬《いぬ》は人間《にんげん》と巡《めぐ》り会《あ》うチャンスがある。それはアリやミツバチにはできないことだよ」

「そうかもしれない。でも、あの河川敷《かせんじき》の犬《いぬ》たちは、ケンカで傷《きず》ついても病気《き》にかかってしまっても、人《ひと》に飼《か》われたい気持《きも》ちはないと思《おも》うの」

「うん。河川敷《かせんじき》で暮《く》らしていれば、病気《びょうき》やケガをすることが多《おお》い。でも自由《じゆう》なわけだからね……」

弘子《ひろこ》さんは子犬《こいぬ》たちをじっとみました。

「この子犬《こいぬ》たちだって、河川敷《かせんじき》で産《う》まれたのだから、そこで一生《いっしょう》をまっとうするのが、幸《しあわ》せなはずよ。わたしたちが保護《ほご》することが、この子犬《こいぬ》たちにとって、かならずしも幸《しあわ》せではないかもしれないわ」

「たしかに河川敷《かせんじき》で自由《じゆう》に生《い》きていければ、それにこしたことはない。でも人間《にんげん》につかまえられて、殺《ころ》される。そんなことに、この四匹《ひき》の子犬《こいぬ》たちが、なってほしくない。もう、こんなにひどい目《め》にあっているんだし……」

「……」

「河川敷《かせんじき》の犬《いぬ》たちでも、犬好《いぬず》きの人間《にんげん》に出会《であ》って幸《しあわ》せになれることを証明《しょうめい》してもらいたいんだ。耳《みみ》がなくてもいいじゃないか。人間《にんげん》の前《まえ》でしつけられた演技《えんぎ》をする犬《いぬ》や血統書《けっとうしょ》つきの犬《いぬ》が、もてはやされる国《くに》だけど、野良《のら》でも、耳《みみ》がなくても、幸《しあわ》せになれる犬《いぬ》がいてもいいじゃないか……」

「……」

「だいじょうぶ。命《いのち》があれば、犬《いぬ》の生涯《しょうがい》だって逆転《ぎゃくてん》できるかもしれない。

たとえ河川敷《かせんじき》の片隅《かたすみ》で産《う》まれたって、耳《みみ》や指《ゆび》を失《うしな》ったからって、それが不幸《ふこう》になるという意味《いみ》では断《だん》じてない」

「八木《やぎ》さん……」

「えっ!?」

「なんか、この子犬《こいぬ》たちにすごい思《おも》いいれがあるみたい」

「そりゃ、なんというか。俺《おれ》も人間《にんげん》のエリートじゃないからね」

「八木《やぎ》さんは、河川敷《かせんじき》の犬《いぬ》たちを、わたしとは別《べつ》な意味《いみ》で自分《じぶん》自身《じしん》と重《かさ》ね合《あ》わせているのね」

「弘子《ひろこ》さんだって、そうだろ?」

「そうそう。河川敷《かせんじき》の犬《いぬ》たちは、わたしを勇気《ゆうき》づけてくれた。それにティナは、三本《ほん》の足《あし》でけんけんしながら、子犬《こいぬ》たちを育《そだ》てていたのね」

「そうだ、弘子《ひろこ》さん。この子犬《こいぬ》たちが里親《さとおや》にもらわれるまで、名前《なまえ》をつけようか」

「そうね。どんな名前《なまえ》がいい？」

「うぅんと……」

「ローズマリー、セイジ、タイム、パセリで、どう？」

弘子《ひろこ》さんは、大好《だいす》きな外国《がいこく》の歌手《かしゅ》グループの歌《うた》から、四つの名前《なまえ》を思《おも》いつきました。

「なんだい、そりゃ？」

「サイモンとガーファンクルの『スカボロー・フェア』って歌《うた》に出《で》てくるのよ。好《す》きだったなぁ」

午後《ごご》三時前《じまえ》に、八木《やぎ》さんの自動車《じどうしゃ》は「ハッピーハウス」に到着《とうちゃく》しました。

どんな犬《いぬ》でも大切《たいせつ》にする人《ひと》のもとへ

「いままで、いろいろな虐待《ぎゃくたい》をされた犬《いぬ》を保護《ほご》してきたけれど、これほどひどい虐待《ぎゃくたい》ははじめてだわ」

甲斐《かい》さんは、弘子《ひろこ》さんたちが連《つ》れてきた子犬《こいぬ》たちの姿《すがた》をみて、悲《かな》しみやおどろき、そして怒《いか》りの混《ま》じった気持《きも》ちでした。

「誰《だれ》が、なんのために……」

弘子《ひろこ》さんは、子犬《こいぬ》たちを保護《ほご》した河川敷《かせんじき》での状況《じょうきょう》を甲斐《かい》さんに説明《せつめい》しました。

すると、甲斐《かい》さんは怒《いか》りを顔《かお》ににじませて言《い》いました。

「この動物虐待事件《どうぶつぎゃくたいじけん》を、知《し》り合《あ》いの新聞記者《しんぶんきしゃ》にとり上《あ》げてもらうわ」

こうして、五月一五日《がつにち》の新聞紙面《しんぶんしめん》には《子犬《こいぬ》4匹《ひき》 耳切断《みみせつだん》される》という記《き》事《じ》が掲載《けいさい》されました。

その半年《はんとし》ほど前《まえ》に「動物保護法《どうぶつほごほう》」が「動物愛護法《どうぶつあいごほう》」となり、動物虐待《どうぶつぎゃくたい》にたいする罰則《ばっそく》がきびしくなっていたこともあり、このニュースには、多《おお》くの人《ひと》たちが関心《かんしん》を寄《よ》せました。

なおも甲斐《かい》さんは、弁護士《べんごし》さんと相談《そうだん》して、大阪《おおさか》の高槻署《たかつきしょ》に犯人《はんにん》を捜《さが》して、つかまえてほしいと告発《こくはつ》しました。しかしながら犯人捜査《はんにんそうさ》ははかどりません。数日《すうじつ》のうちにテレビ局《きょく》の取材《しゅざい》が、「ハッピーハウス」や弘子《ひろこ》さんのところにやってきました。すると〈耳《みみ》を切《き》られた子犬《こいぬ》たちの治療費《ちりょうひ》やエサ代《だい》にしてください〉と、テレビをみた日本全国《にほんぜんこく》の人《ひと》たちから寄付金《きふきん》が、ハウスにおくられてきました。

そのおカネを、甲斐《かい》さんは子犬《こいぬ》の耳《みみ》を切《き》った犯人逮捕《はんにんたいほ》の情報《じょうほう》をくれた人《ひと》や犯人《はんにん》を捜《さが》し出《だ》した人《ひと》への謝礼金《しゃれいきん》にしました。しかし、犯人《はんにん》はいまもつかまっていません。

一方《いっぽう》、全国《ぜんこく》からいっせいに「里親希望《さとおやきぼう》」の手紙《てがみ》や電話《でんわ》が「ハッピーハウス」に殺到《さっとう》しました。その数《かず》は六〇通《つう》にもおよびました。

甲斐《かい》さんは、一軒《けん》ずつに「里親申込書《さとおやもうしこみしょ》」をおくりました。その申込書《もうしこみしょ》がハウスに返《かえ》ってきたのは、半分《はんぶん》の三〇通《つう》ほどでした。そこで、三〇軒《けん》の里親希望《さとおやきぼう》者《しゃ》の一人《ひとり》ひとりに電話《でんわ》して「もし〈耳《みみ》を切《き》られた子犬《こいぬ》〉がほかの人《ひと》に里子《さとご》として決《き》まってしまったら、違《ちが》う子犬《こいぬ》でもいいですか?」と聞《き》いていきました。

＊　＊

一週間後《しゅうかんご》、弘子《ひろこ》さんと八木《やぎ》さんはハウスを訪《たず》ねました。

四匹《ひき》の子犬《こいぬ》たちは、保護《ほご》したてのころとは違《ちが》い、喜《よろこ》びを表《あらわ》して尻尾《しっぽ》を振《ふ》ったり、ない耳《みみ》をうしろに倒《たお》すようにうれしそうな表情《ひょうじょう》で、ふたりを迎《むか》えてくれました。

「この子《こ》たち、いつも喜《よろこ》んでいるような表情《ひょうじょう》をしているでしょ?」

甲斐《かい》さんが、弘子《ひろこ》さんたちに子犬《こいぬ》たちのようすを教《おし》えてくれました。

「ハッピーハウス」での「耳《みみ》を切《き》られた子犬《こいぬ》たち」は、耳《みみ》と足先《あしさき》がないほかは、普通《ふつう》の犬《いぬ》たちと変《か》わらない生活《せいかつ》をしていました。そして、もうヨチヨチ歩《ある》きの子犬《こいぬ》のイメージは薄《うす》れていました。

「どうですか？　里親《さとおや》はみつかりそうですか？」

弘子《ひろこ》さんは、一番心配《いちばんしんぱい》していたことを甲斐《かい》さんに聞《き》きました。

「里親希望者《さとおやきぼうしゃ》は、たくさんきていますよ。ところがね……」

と、甲斐《かい》さんはため息《いき》をついてつづけました。

「……『〈耳《みみ》を切《き》られた犬《いぬ》〉の里親希望者《さとおやきぼうしゃ》は多《おお》いので、里親《さとおや》になれるかわかりませんよ。もしあの子犬《こいぬ》たちがほかの里親《さとおや》に決《き》まってしまったら、違《ちが》う子犬《こいぬ》でもいいですか』とたずねると、『テレビに出《で》たあの〈耳《みみ》を切《き》られた犬《いぬ》〉ではなければ、もらいたくない』と言《い》われるの。耳《みみ》がない犬《いぬ》は、新聞《しんぶん》やテレビで注目《ちゅうもく》を浴《あ》びて血統書以上《けっとうしょいじょう》のブランドになってしまったのね。『あの犬《いぬ》でないとダメです』という里親希望者《さとおやきぼうしゃ》がたくさんいます」

「それは、おかしいですね」

「もちろん、あの子犬《こいぬ》たちに同情《どうじょう》を寄《よ》せて、かわいがってくれるという気持《きも》ちは、うれしいのよ。でも、ほかの犬《いぬ》だって、大切《たいせつ》な命《いのち》を燃《も》やして生《い》きているのよ。ローズマリーたちとは、ただ新聞《しんぶん》やテレビで有名《ゆうめい》になったかどうかの違《ちが》いだけじゃない」

「そうですか。なんともふしぎな現象《げんしょう》ですね。でも、これほど〈有名《ゆうめい》な犬《いぬ》〉と〈普通《ふつう》の犬《いぬ》〉への反応《はんのう》が極端《きょくたん》だとは思《おも》いませんでした」

「かわいそうだと思《おも》われた子犬《こいぬ》は人気者《にんきもの》になって、同《おな》じような捨《す》て犬《いぬ》は見向《みむ》きもされない……」

「でもね、あの子犬《こいぬ》たちは、どんな犬《いぬ》でも大切《たいせつ》にしてくれる人《ひと》のもとへ、里《さと》子《ご》としておくり出《だ》してやりますよ」

「そうですね。甲斐《かい》さんよろしくおねがいします」

「それでも、大阪近辺《おおさかきんぺん》の里親希望者《さとおやきぼうしゃ》の方《かた》にはハウスにみにきてもらったの。

すると、ほかの犬《いぬ》でもいいと言《い》ってくれた人《ひと》も何人《なんにん》かいたのよ」

「そういう話《はなし》を聞《き》くと、心《こころ》が救《すく》われますね」

弘子《ひろこ》さんも八木《やぎ》さんも、ローズマリーたちの里親希望者《さとおやきぼうしゃ》が多《おお》いことはうれしかったのですが、これでは心《こころ》の底《そこ》からは喜《よろこ》べませんでした。

〈新聞《しんぶん》やテレビに出《で》た犬《いぬ》ではないとほしくない〉って、なんだろう……？

そんなことを思《おも》いながら、弘子《ひろこ》さんたちは「ハッピーハウス」をあとにしました。

カレンダーが一枚《まい》めくれて、六月《がつ》になると弘子《ひろこ》さんのもとへ「ハッピーハウス」から連絡《らんれく》がきました。

「子犬《こいぬ》たちの里親《さとおや》が決《き》まりましたよ」と。

そして七月《がつ》になり、弘子《ひろこ》さんは「ハッピーハウス」にいきました。あいにく、甲斐《かい》さんは里親《さとおや》のもとに子犬《こいぬ》たちを連《つ》れていったところでした。

甲斐《かい》さんが、犬《いぬ》たちを里親《さとおや》の自宅《じたく》までおくっていくのは、里親希望者《さとおやきぼうしゃ》が審査書《しんさしょ》に書《か》いたことが正《ただ》しいかどうかを確認《かくにん》するためです。疑《うたぐ》り深《ぶか》いと思《おも》われるかもしれませんが、大切《たいせつ》な命《いのち》をゆだねるのですから、あたりまえですよね。

ハウスには、四匹《ひき》のうち茶色《ちゃいろ》い子犬《こいぬ》のタイムが残《のこ》っていました。

「タイムは、いったん里子《さとご》に出《で》たのだけれど、近所《きんじょ》から『そんなに何匹《なんびき》も飼《か》っていて、また飼《か》うんですか』って里親《さとおや》さんが怒鳴《どな》られたそうで……。里《さと》親《おや》さんは、いい人《ひと》だったのだけれども、またハウスにもどってきたんです」

と、スタッフが説明《せつめい》してくれました。

弘子《ひろこ》さんは、ローズマリーやセイジ、パセリに会《あ》えなかったのは残念《ざんねん》だと思《おも》った反面《はんめん》、それぞれが里親《さとおや》のもとで幸《しあわ》せになるんだと思《おも》うと、うれしくなりました。

保護《ほご》したとき、耳《みみ》を切《き》られていて里子《さとご》にいけるだろうか……と心配《しんぱい》していた子犬《こいぬ》たちの新《あら》たな旅立《たびだ》ちがはじまったのです。

子犬《こいぬ》たちの旅立《たびだ》ち① 十匹《ぴき》の猫《ねこ》のなかで

二〇〇一年《ねん》五月《がつ》一五日《にち》の神奈川県《かながわけん》川崎市《かわさきし》です。

犬《いぬ》や猫《ねこ》と暮《く》らせるマンションのリビングで、やさしい顔立《かおだ》ちの及川哲弘《おいかわてつひろ》さん（三六歳《さい》）と、いつも明《あか》るい笑顔《えがお》の、のぞみさん（三二歳《さい》）は、新聞記事《しんぶんきじ》をみて、怒《おこ》っていました。

《子犬《こいぬ》4匹《ひき》　耳切断《みみせつだん》される》——その日《ひ》の朝刊《ちょうかん》には、こう書《か》かれていました。

「犯人《はんにん》も同《おな》じ目《め》にあわせてやりたいよ」

「なぜ、産《う》まれたばかりの子犬《こいぬ》にこんなひどいことをするのだろう」

＊　　＊

猫好《ねこず》きの及川《おいかわ》さん夫妻《ふさい》は、捨《す》て猫《ねこ》を拾《ひろ》ってきては部屋《へや》のなかで飼《か》ってきました。その数《かず》は九匹《ひき》にもなります。全員《ぜんいん》がオス猫《ねこ》です。

マンションの住人《じゅうにん》のほとんどは、犬《いぬ》と暮《く》らしていました。及川《おいかわ》さん夫妻《ふさい》も、いつか犬《いぬ》も飼《か》ってみたいと思《おも》っていました。

「なあ、のぞみ。そろそろ犬《いぬ》を飼《か》ってみたいなぁ」

「あなた。犬《いぬ》をじゃなくて、犬《いぬ》もでしょう」

小《ちい》さいころに、犬《いぬ》を飼《か》っていたのぞみさんでしたが、さすがに九匹《ひき》の猫《ねこ》といっしょに犬《いぬ》を飼《か》うなんて考《かんが》えられませんでした。

「そうだった」

「でも、犬《いぬ》は猫《ねこ》とともに暮《く》らしていくことができるのかなぁ」

「おとなしい犬《いぬ》なら、だいじょうぶじゃないのか」

「でもねぇ、あなた。一匹《ぴき》や二匹《ひき》の猫《ねこ》ではないのよ。九匹《ひき》よ」

猫好《ねこず》きの哲弘《てつひろ》さんは、これまで犬《いぬ》を飼《か》ったことがありませんでした。ただ、犬《いぬ》の世話《せわ》をしたことならありました。それも一匹《ぴき》や二匹《ひき》の犬《いぬ》ではありません。

＊　＊

一九九五年《ねん》一月《がつ》の「阪神《はんしん》淡路《あわじ》大震災《だいしんさい》」が神戸《こうべ》の町《まち》を襲《おそ》って、数日《すうじつ》がすぎた日《ひ》のことです。

まだ独身《どくしん》だった哲弘《てつひろ》さんは、神奈川県《かながわけん》の自宅《じたく》でひとりで朝御飯《あさごはん》を食《た》べながら新聞《しんぶん》を読《よ》んでいました。

震災《しんさい》で飼《か》い主《ぬし》とはなれてしまった犬《いぬ》や猫《ねこ》を数多《かずおお》く保護《ほご》しました。犬《いぬ》や猫《ねこ》の世話《せわ》を手伝《てつだ》ってくれるボランティア・スタッフを募集《ぼしゅう》しています。

大阪府《おおさかふ》能勢町《のせちょう》　動物《どうぶつ》の孤児院《こじいん》・ハッピーハウス

そんな新聞《しんぶん》の片隅《かたすみ》に書《か》かれていた小《ちい》さな広告《こうこく》に目《め》をとめた哲弘《てつひろ》さんは、思《おも》いました。たいへんだろうなぁ……。人手《ひとで》は集《あつ》まるのだろうか……。

哲弘《てつひろ》さんの胸《むね》のなかは、ふしぎと「動物《どうぶつ》の孤児院《こじいん》」のことが、ふくらみはじめました。いまなら会社《かいしゃ》の仕事《しごと》もいそがしくはない。家《いえ》で心配《しんぱい》しているくらいなら、俺《おれ》がいってしまおう……。

哲弘《てつひろ》さんは、その日《ひ》のうちに「ハッピーハウス」に電話《でんわ》をしました。

「もしもし、ハッピーハウスさんですか」

「はい、そうですが……」

「新聞広告《しんぶんこうこく》をみました。会社《かいしゃ》を十日間《とおかかん》ほど休《やす》んでボランティアをさせてもらいたいのです」

「ありがとう」

受話器《じゅわき》のむこうから、たくさんの犬《いぬ》の鳴《な》き声《ごえ》が聞《き》こえています。

こうして哲弘《てつひろ》さんは、会社《かいしゃ》に休暇届《きゅうかとどけ》を提出《ていしゅつ》して、大阪《おおさか》の山里《やまざと》にある「ハッピーハウス」で犬《いぬ》たちの世話《せわ》をすることになりました。

ハウスでは名前《なまえ》を覚《おぼ》えきれない数《かず》の犬《いぬ》や猫《ねこ》たちの食事《しょくじ》づくりや、犬舎《けんしゃ》の掃除《そうじ》、散歩《さんぽ》などに追《お》われる日々《ひび》でした。いやぁ、これはたいへんな仕事《しごと》だなぁと思《おも》いながら、毎日《まいにち》をすごしました。

無我夢中《むがむちゅう》のうちにボランティア活動《かつどう》の十日間《とおかかん》がすぎ、哲弘《てつひろ》さんは神奈川県《かながわけん》にもどる日《ひ》を迎《むか》えました。

哲弘《てつひろ》さんは、帰《かえ》りの自動車《じどうしゃ》のなかで思《おも》っていました。

(多《おお》くの犬《いぬ》や猫《ねこ》、それに素敵《すてき》なボランティア・スタッフとも出会《であ》えた。たいへんだったけれど楽《たの》しく充実《じゅうじつ》した十日間《とおかかん》の休暇《きゅうか》だったなぁ)と。

会社員《かいしゃいん》の生活《せいかつ》にもどっても、哲弘《てつひろ》さんは「動物《どうぶつ》の孤児院《こじいん》」のことが忘《わす》れられませんでした。

震災《しんさい》で飼《か》い主《ぬし》を失《うしな》った犬《いぬ》や猫《ねこ》たちに、新《あたら》しい里親《さとおや》がみつかったのだろうか……。

戦場《せんじょう》のようなハウスでボランティア仲間《なかま》たちは、まだがんばっているのだろうか……。

俺《おれ》は十日間《とおかかん》と決《き》まっていたから、あんなにたいへんな作業《さぎょう》もがんばれた。

「ハッピーハウス」で終《お》わりなく作業《さぎょう》している人《ひと》は、さぞ固《かた》い覚悟《かくご》で犬《いぬ》や猫《ねこ》の面倒《めんどう》をみているのだろうな……。

それからも哲弘《てつひろ》さんは、会社《かいしゃ》の休暇《きゅうか》を利用《りよう》して、「ハッピーハウス」にいくようになりました。そして、仲間《なかま》たちと食事《しょくじ》づくり、掃除《そうじ》、散歩《さんぽ》……などに汗《あせ》を流《なが》しました。

哲弘《てつひろ》さんはのぞみさんと結婚《けっこん》すると、こんどはふたりで「ハッピーハウス」のボランティアをしました。

哲弘《てつひろ》さんやのぞみさんが、何度《なんど》も「動物《どうぶつ》の孤児院《こじいん》」を訪《たず》ねるのは、けっして犬《いぬ》や猫《ねこ》の世話《せわ》をするためだけではありませんでした。「ハッピーハウス」の代表《だいひょう》の甲斐《かい》尚子《なおこ》さんの徹底《てってい》した動物愛護《どうぶつあいご》の精神《せいしん》と、さばさばした性格《せいかく》が大好《だいす》きだったのです。

及川《おいかわ》さん夫妻《ふさい》と甲斐《かい》さんの付《つ》き合《あ》いは、深《ふか》まっていきました。そして、猫《ねこ》好《ず》きの哲弘《てつひろ》さんは、甲斐《かい》さんから、保護《ほご》した猫《ねこ》を何度《なんど》かもらい受《う》けました。

そんななかで、同《おな》じマンションの犬《いぬ》たちをみていた哲弘《てつひろ》さんは、「こんどは犬《いぬ》を飼《か》ってみてもいいかなぁ」と、甲斐《かい》さんに言《い》ったことがありました。

＊　＊

二〇〇一年《ねん》の五月《がつ》も終《お》わろうとしていました。

及川《おいかわ》さん夫妻《ふさい》が「耳《みみ》を切《き》られた子犬《こいぬ》」の事件《じけん》を知《し》って、数週間《すうしゅうかん》がすぎたころ、甲斐《かい》さんから電話《でんわ》がかかってきました。

「もしもし、ハッピーハウスの甲斐《かい》です。のぞみさん？　元気《げんき》」

のぞみさんは、受話器《じゅわき》から聞《き》こえる甲斐《かい》さんの声《こえ》にうれしそうにこたえました。

「はい」

「よかったら、あの子犬《こいぬ》の里親《さとおや》になってくれない？」

「あの犬《いぬ》といいますと……」

「耳《みみ》を切《き》られた子犬《こいぬ》よ」

「えっ！　それなら以前《いぜん》、新聞《しんぶん》を読《よ》んで、主人《しゅじん》と『ひどい動物虐待《どうぶつぎゃくたい》だね』と話《はな》していたんですよ」

「そう。そのときの子犬《こいぬ》よ」

「そういえば、ハッピーハウスに保護《ほご》されたんですよね」

「里親希望者《さとおやきぼうしゃ》がたくさんいて、本当《ほんとう》は里親《さとおや》にもらわれていくはずだったのだけれど……」

「主人《しゅじん》と代《か》わりますね」

哲弘《てつひろ》さんが受話器《じゅわき》を持《も》ちました。

「甲斐《かい》さん。犬《いぬ》を希望《きぼう》していたことを覚《おぼ》えていてくれて、ありがとう。こんどの休日《きゅうじつ》に、ハッピーハウスにうかがいますね」

甲斐《かい》さんは哲弘《てつひろ》さんなら、有名《ゆうめい》だろうとなかろうと分《わ》けへだてなく大切《たいせつ》にしてくれると確信《かくしん》していたのです。

さっそく及川《おいかわ》さん夫妻《ふさい》は、週末《しゅうまつ》に「ハッピーハウス」にむかいました。

哲弘《てつひろ》さんとのぞみさんは、四匹《ひき》の「耳《みみ》を切《き》られた子犬《こいぬ》」のなかから「ローズマリー」というあでやかな仮名《かめい》をつけられた黒《くろ》いメス犬《いぬ》を選《えら》びました。

七月《がつ》になってすぐに、甲斐《かい》さんが自動車《じどうしゃ》に乗《の》って、耳《みみ》のないローズマリーを及川《おいかわ》さん夫妻《ふさい》のマンションに連《つ》れてきてくれました。里親《さとおや》が決《き》まってから少《すこ》し日《ひ》にちがあくのは、ワクチン注射《ちゅうしゃ》などを打《う》つからです。

甲斐《かい》さんが到着《とうちゃく》すると、及川《おいかわ》さん夫妻《ふさい》はもちろん、マンションの人《ひと》たちも歓迎《かんげい》してくれました。この光景《こうけい》をみて、甲斐《かい》さんはローズマリーが幸《しあわ》せになると確信《かくしん》しました。

哲弘《てつひろ》さんは、子犬《こいぬ》に「お玉《たま》」という名前《なまえ》を用意《ようい》していました。大好《だいす》きな「西《さい》郷《ごう》と豚姫《ぶたひめ》」というお芝居《しばい》に登場《とうじょう》する「豚姫《ぶたひめ》」から名前《なまえ》をとりました。

「豚姫《ぶたひめ》」は、名前《なまえ》を「お玉《たま》」といって、顔《かお》やスタイルが悪《わる》くても性格《せいかく》がよくて、たくさんの人々《ひとびと》から慕《した》われ幸福《こうふく》になる女性《じょせい》です。

たとえ耳《みみ》がなくても、いろいろな人《ひと》からかわいがられて幸《しあわ》せになれ……というねがいを込《こ》めて、「お玉《たま》」と名《な》づけたのです。

及川《おいかわ》さん夫妻《ふさい》は、お玉《たま》の寝《ね》るところをリビング・ルームにしました。

甲斐《かい》さんが帰《かえ》った、その夜《よる》のことです。

キャォオン、キャォオン
寝室《しんしつ》で及川《おいかわ》さん夫妻《ふさい》が眠《ねむ》ろうとすると、かん高《だか》い鳴《な》き声《ごえ》がリビングから聞《き》こえてきました。

兄弟《きょうだい》や仲間《なかま》たちとはなれて、一匹《ぴき》になってしまった寂《さみ》しさから、お玉《たま》が遠《とお》吠《ぼ》えをはじめたのです。

「よし、よし、お玉《たま》。寂《さみ》しいのか」

哲弘《てつひろ》さんは、その夜《よる》と次《つぎ》の夜《よる》は、お玉《たま》のそばで眠《ねむ》りました。

三日目《かめ》の夜《よる》から、お玉《たま》は静《しず》かに眠《ねむ》りにつくようになりました。九匹《ひき》の猫《ねこ》たちに囲《かこ》まれてにぎやかに暮《く》らしはじめたのです。そして、しだいに新《あたら》しい生《せい》活《かつ》に馴染《なじ》んでいきました。

及川《おいかわ》夫妻《ふさい》の家族《かぞく》になって幸《しあわ》せなお玉《たま》(ローズマリー)

こうして、お玉《たま》が及川家《おいかわけ》の一員《いちいん》になってから、哲弘《てつひろ》さんは早起《はやお》きになりました。なにしろ犬《いぬ》は猫《ねこ》と違《ちが》い散歩《さんぽ》をしなければなりません。それでも「ハッピーハウス」でのボランティア活動《かつどう》で鍛《きた》えられている哲弘《てつひろ》さんは、お玉《たま》の世《せ》話《わ》を一生懸命《いっしょうけんめい》にしました。

そんなお玉《たま》の散歩中《さんぽちゅう》には、犬好《いぬず》きの人《ひと》が近寄《ちかよ》ってきます。

「あれ！　このワンちゃん耳《みみ》がないけれど、なんという種類《しゅるい》の犬《いぬ》なんですか？」

「いえいえ。この犬《いぬ》は、もともと耳《みみ》があったんですよ」

「……」

「それが、産《う》まれて間《ま》もないころ、誰《だれ》かに耳《みみ》と前足《まえあし》の指《ゆび》を二本《ほん》ほど切断《せつだん》されてしまったんですよ」

「ああ、あの新聞《しんぶん》やテレビで報道《ほうどう》された〈耳《みみ》を切《き》られた犬《いぬ》〉ですか」

「そうなんですよ」

「かわいそうになぁ」

哲弘《てつひろ》さんがお玉《たま》を散歩《さんぽ》に連《つ》れていくと、このような場面《ばめん》によく出合《であ》いました。

＊　＊

お玉《たま》が、及川《おいかわ》さん夫妻《ふさい》の家《いえ》にやってきて、一年《ねん》の歳月《さいげつ》が流《なが》れました。

「お玉《たま》は、人間《にんげん》によって耳《みみ》や指《ゆび》に大《おお》ケガを負《お》わされたのに、人間嫌《にんげんぎら》いにならなくてよかったな」

「そうね。人間《にんげん》と比《くら》べて犬《いぬ》は寿命《じゅみょう》が短《みじか》いから、その分《ぶん》、たくさんの愛情《あいじょう》を注《そそ》いでやらないと」

と、哲弘《てつひろ》さんものぞみさんもつくづく思《おも》っています。

お玉《たま》は猫《ねこ》たちとも、すぐに仲良《なかよ》くなりました。とりわけ気《き》が合《あ》うのは、及《おい》川家《かわけ》十四匹目《びきめ》の猫《ねこ》の「海尊《かいそん》」です。海尊《かいそん》は、お玉《たま》よりあとに及川家《おいかわけ》にやってきた後輩《こうはい》ということになります。

たまに猫同士《ねこどうし》がケンカをしていると、「やめろよ！」とお玉《たま》は仲裁《ちゅうさい》にはいります。すると「黙《だま》っていろ！」とばかりに、猫《ねこ》たちにパンチされ、とばっちりをくらうこともあります。そんなときの、とぼけたお玉《たま》の表情《ひょうじょう》と要領《ようりょう》の悪《わる》さが、及川《おいかわ》さん夫妻《ふさい》は大好《だいす》きです。

哲弘《てつひろ》さんは、お玉《たま》がきてから、より楽《たの》しく充実《じゅうじつ》した時間《じかん》をおくっていると感《かん》じています。それは、あの「ハッピーハウス」で汗《あせ》を流《なが》していた「たいへんだったけれど楽《たの》しく充実《じゅうじつ》した十日間《とおかかん》」にどこか似《に》た毎日《まいにち》です。

及川《おいかわ》さん夫妻《ふさい》のもとにやってきたときに、いろいろな人《ひと》から「かわいそうに」と同情《どうじょう》を受《う》けていた子犬《こいぬ》の面影《おもかげ》は、もうありません。

お玉《たま》は「豚姫《ぶたひめ》」のように、巡《めぐ》り会《あ》った人間《にんげん》と幸《しあわ》せに暮《く》らしていたのです。

子犬《こいぬ》たちの旅立《たびだ》ち② 新《あたら》しい相棒《あいぼう》とともに

二〇〇一年《ねん》五月《がつ》一五日《にち》の愛知県《あいちけん》名古屋市《なごやし》です。

《子犬《こいぬ》4匹《ひき》 耳切断《みみせつだん》される》というニュースが日本全国《にほんぜんこく》をかけ巡《めぐ》りました。

テレビでもとり上《あ》げられました。

一匹《ぴき》のヨークシャー・テリアという小型犬《こがたけん》を飼《か》っている木山《きやま》ひとみさん(四五歳《さい》)と長女《ちょうじょ》のめぐみさん(一五歳《さい》)親子《おやこ》は、テレビの画面《がめん》から流《なが》れる子犬《こいぬ》の耳《みみ》や前足《まえあし》の指《ゆび》が切《き》られたというニュースをみて、おどろいていました。

「お母《かあ》さん、子犬《こいぬ》の耳《みみ》を切《き》るなんてひどすぎるよ」

「こんなにやるせない事件《じけん》があるなんて」

そのニュースが終《お》わり、ひとみさんはテレビのスイッチを切《き》りました。けれども、子犬《こいぬ》が受《う》けた痛《いた》さを思《おも》うと、まるで自分《じぶん》のことのように、ショックが胸《むね》から去《さ》りませんでした。

翌日《よくじつ》、ひとみさんは、テレビ局《きょく》に電話《でんわ》をして、子犬《こいぬ》を保護《ほご》した「ハッピーハウス」の連絡先《れんらくさき》を教《おし》えてもらいました。そして《耳《みみ》を切《き》られた子犬《こいぬ》の里親《さとおや》に、ぜひともならせてください》と、ハウスにファックスをおくりました。

すると数日後《すうじつご》、「ハッピーハウス」から、里親《さとおや》になるための「里親申込書《さとおやもうしこみしょ》」がおくられてきました。ひとみさんは、その書類《しょるい》に必要《ひつよう》なことを書《か》き込《こ》んでハウスに返送《へんそう》しました。

ひと月《つき》がたっても連絡《れんらく》がこなかったので、審査《しんさ》には受《う》からなかったんだと思《おも》っていたころ、「ハッピーハウス」から電話《でんわ》がありました。「耳《みみ》を切《き》られた子犬《こいぬ》」が、ひとみさんの家《いえ》にくることが決《き》まったのです。

「うわぁああ、やったぁああ!!」

誰《だれ》よりも喜《よろこ》んだのは、長女《ちょうじょ》のめぐみさんでした。

電話《でんわ》があってしばらくたった七月《がつ》のある日《ひ》、甲斐《かい》さんが、少《すこ》し大《おお》きくなったオス犬《いぬ》のパセリを連《つ》れてやってくることになりました。

マンションの九階《かい》に住《す》んでいる木山《きやま》さん一家《いっか》は、甲斐《かい》さんの到着《とうちゃく》をマンションの下《した》まで降《お》りて、待《ま》っていました。

しばらくすると、甲斐《かい》さんがやってきました。

「こんにちは。甲斐《かい》です」

「はじめまして、木山《きやま》です」

「こんにちは。めぐみです」

「はい、お待《ま》たせしました。子犬《こいぬ》よ」

自動車《じどうしゃ》のなかから、新聞《しんぶん》やテレビでみたときよりも成長《せいちょう》している子犬《こいぬ》が現《あらわ》れました。長旅《ながたび》で車酔《くるまよ》いをしてしまったのか、黒《くろ》い犬《いぬ》は目《め》の焦点《しょうてん》が定《さだ》まらず、ふらふらしています。

「うわぁあ。かわいい犬《いぬ》」

甲斐《かい》さんが大阪《おおさか》へ帰《かえ》ると、木山《きやま》さん親子《おやこ》は子犬《こいぬ》をマンションの部屋《へや》に連《つ》れていこうとしました。しかし、ガタゴトと音《おと》がするエレベーターが怖《こわ》いのか、子犬《こいぬ》は少《すこ》し震《ふる》えていました。

そんな子犬《こいぬ》をみながら、お母《かあ》さんのひとみさんはめぐみさんに聞《き》きました。

「新《あたら》しい犬《いぬ》の名前《なまえ》をどうしようか？」

めぐみさんは、大好《だいす》きなディズニーキャラクターと同《おな》じ名前《なまえ》を子犬《こいぬ》につけました。

「〈クマのプーさん〉からとって、プーがいいよ」

ひとみさんは「プー」という愛《あい》らしい名前《なまえ》に賛成《さんせい》しました。

「引《ひ》っ込《こ》み思案《じあん》で要領《ようりょう》がよくなさそうな性格《せいかく》が、プーさんに似《に》ているね」

ひとみさんとめぐみさんは、プーと部屋《へや》にはいりました。

キャンキャン、キャンキャンキャン

木山家《きやまけ》のもう一匹《ぴき》の家族《かぞく》であるヨークシャー・テリアの「ミク」が、新入《しんい》りの子犬《こいぬ》にむかって吠《ほ》え出《だ》しました。ミクは血統書《けっとうしょ》つきの四歳《さい》のオス犬《いぬ》です。

プーは、木山家《きやまけ》にきた夜《よる》には眠《ねむ》れずにいました。兄弟《きょうだい》や仲間《なかま》とはなれた寂《さみ》しさから、遠吠《とおぼ》えもくり返《かえ》していました。ひとみさんは、そばにいて一晩中《ひとばんじゅう》さすっていました。

「プー。安心《あんしん》して、おだやかな気持《きも》ちで眠《ねむ》るのよ」

ウッウウッ、ウッウウウウッ
プーは、三日間《みっかかん》、夢《ゆめ》のなかでうなされているようでした。

「プー、プー、どうしたの？」

と、ひとみさんがさすると、プーは目《め》をさましました。

一方《いっぽう》、ミクとしては、知《し》らない犬《いぬ》が突然《とつぜん》やってきて、飼《か》い主《ぬし》の愛情《あいじょう》を持《も》っていかれてしまい、元気《げんき》がありません。

プーが子犬《こいぬ》といっても、小型犬《こがたけん》のミクよりも、身体《からだ》は大《おお》きいのです。ミクは、いきなり現《あらわ》れた新入《しんい》りに、おどろいてしまったのです。

ひとみさんとしても、ミクにはひと月前《つきまえ》から、新《あたら》しい家族《かぞく》がくることは告《つ》げていたのです。けれども、ミクにとってのプーは、やはりいきなりやってきた家族《かぞく》だったのです。

＊　＊

プーが木山家《きやまけ》にやってきて一年《ねん》の歳月《さいげつ》が流《なが》れました。

夫《おっと》の恒二《こうじ》さん（五四歳《さい》）は、プーがきてから、帰宅時間《きたくじかん》が早《はや》くなりました。会社《かいしゃ》からニコニコしながら帰《かえ》ってきてプーを抱《だ》きしめたり、ほおずりをして遊《あそ》んでいるのです。

プーは「耳《みみ》を切《き》られた四匹《ひき》の子犬《こいぬ》」のなかで、一番《いちばん》ひどい傷《きず》を負《お》っています。両耳《りょうみみ》のほかにも、右前足《みぎまえあし》の指《ゆび》がすべて切断《せつだん》されています。もちろん、耳《みみ》や指《ゆび》がふたたび生《は》えてくるわけはありません。プーは右前足《みぎまえあし》をかばうように、アンバランスな格好《かっこう》で歩《ある》くときがあるのです。

そんなプーをみるたびに、ひとみさんは思《おも》います。人間《にんげん》というのは、なんということをするのだろう……。プーを傷《きず》つけた犯人《はんにん》にはプーの耳《みみ》を返《かえ》してほしい……と。

また、ひとみさんは、こんなことを考《かんが》えていました。

悲劇《ひげき》を体験《たいけん》してしまったプーの心《こころ》の傷《きず》を治《なお》して、幸《しあわ》せにしたい……。

木山《きやま》さんの家族《かぞく》は、プーとともに旅行《りょこう》に出《で》かけたり、いっしょにいる時間《じかん》を多《おお》くしました。

よく訪《おとず》れる高原《こうげん》で、暑《あつ》がりのプーは、川《かわ》にはいって沈《しず》んでしまうことがたびたびあります。

「たいへんだ！」

めぐみさんが声《こえ》をあげて救助《きゅうじょ》にむかうと、プーは水《みず》のなかで涼《すず》んでいました。淀川《よどがわ》の河川敷《かせんじき》で産《う》まれたプーは、水《みず》を怖《こわ》がらないのです。

そんなプーは、いまでも虐待《ぎゃくたい》を受《う》けたときのことを思《おも》い出《だ》してしまうのか、爪《つめ》を切《き》られるのも、体毛《たいもう》をカットされるのも嫌《いや》がります。それに、ひとみさんやめぐみさん、あるいは恒二《こうじ》さんが散歩《さんぽ》に連《つ》れていくと、知《し》らない人《ひと》を避《さ》けるように隅《すみ》を歩《ある》きます。とくに自転車《じてんしゃ》に乗《の》っている男《おとこ》の人《ひと》には、おびえてしまいます。まして、見知《みし》らぬお客《きゃく》さんがこようものなら、ものすごい勢《いきお》いで吠《ほ》えます。

そんなとき、お母《かあ》さんのひとみさんは、長女《ちょうじょ》のめぐみさんに言《い》います。

「めぐみ。プーとは、これからもずっと生《い》きていくのよ。いまは、まだ傷《きず》を負《お》わせた人間《にんげん》におびえているけれど、これからは人間《にんげん》が好《す》きになってもらえるといいね」

「そうだね、お母《かあ》さん。犬《いぬ》だって一生懸命《いっしょうけんめい》に生《い》きているのにね。犬《いぬ》がもっと楽《たの》しく暮《く》らせる世《よ》の中《なか》になるといいのに」

そんな会話《かいわ》のとなりで、プーは昔《むかし》からいる家《いえ》のように、ミクとベッドに乗《の》って、はしゃいでいます。

日《ひ》を追《お》うごとに、血統書《けっとうしょ》つきのヨークシャー・テリアと河川敷《かせんじき》で産《う》まれた雑種犬《ざっしゅけん》は、心《こころ》をかよわせる相棒同士《あいぼうどうし》になっていったのです。

いつも仲良《なかよ》しのミクとプー(黒《くろ》い犬《いぬ》)。

はやく人《ひと》を好《す》きになれるといいね、プー。

子犬《こいぬ》たちの旅立《たびだ》ち③　六番目《ばんめ》の子《こ》どもとして

二〇〇一年《ねん》五月《がつ》一五日《にち》の長野県《ながのけん》根羽村《ねばむら》です。

小高《こだか》い山々《やまやま》に囲《かこ》まれた静《しず》かな山村《さんそん》に暮《く》らす片桐《かたぎり》久与《ひさよ》さん(四三歳《さい》)は、《子犬《こいぬ》4匹《ひき》　耳切断《みみせつだん》される》と書《か》かれた新聞記事《しんぶんきじ》をみながら、思《お》っていました。耳《みみ》を切《き》られた子犬《こいぬ》をわが家《や》でも飼《か》いたいなぁ……と。

久与《ひさよ》さんは五人《にん》の子《こ》どものお母《かあ》さんです。

その五人《にん》の子《こ》どもたちのなかでも、とりわけ小学校《しょうがっこう》四年生《ねんせい》で長女《ちょうじょ》の万由軌《まゆき》さんが、子犬《こいぬ》をほしがっていました。

誕生日《たんじょうび》やクリスマスには、「プレゼントはいらないから犬《いぬ》がほしいよ」と、お正月《しょうがつ》には「お年玉《としだま》はいらないから、犬《いぬ》を飼《か》いたいよ」と、ねだりつづけていました。

久与《ひさよ》さんも犬《いぬ》を飼《か》いたいとは思《おも》っていました。しかし、犬《いぬ》との別《わか》れのつらさを体験《たいけん》しているだけに、犬《いぬ》を飼《か》うことをためらっていました。

「犬《いぬ》は、人間《にんげん》よりも寿命《じゅみょう》が短《みじか》いのよ」

と、久与《ひさよ》さんが言《い》っても、万由軌《まゆき》さんの犬《いぬ》と暮《く》らしたいという気持《きも》ちは、変《か》わりませんでした。

久与《ひさよ》さんは、万由軌《まゆき》さんが犬《いぬ》をほしがっている気持《きも》ちがわかっていました。万由軌《まゆき》さんがかよう小学校《しょうがっこう》は、生徒《せいと》の数《かず》が少《すく》なくて同級生《どうきゅうせい》の女《おんな》の子《こ》は三人《にん》しかいません。三人《にん》のうち、ふたりは双子《ふたご》です。つまり、女《おんな》の子《こ》の同級生《どうきゅうせい》は二軒《けん》しかないのです。

しかも、同級生《どうきゅうせい》の家《いえ》は遠《とお》く、めったに行《い》き来《き》することはできません。近所《きんじょ》に遊《あそ》べる友人《ゆうじん》がいないのです。それに、五人兄弟《にんきょうだい》の真《ま》ん中《なか》の万由軌《まゆき》さんは、上《うえ》のふたりのお兄《にい》さんや、下《した》の妹《いもうと》と弟《おとうと》とも歳《とし》がはなれているので、少《すこ》し寂《さみ》しかったのです。

（万由軌《まゆき》のためにも、そろそろ犬《いぬ》を飼《か》ってもいいかな）と思《おも》っていたときに、「耳《みみ》を切《き》られた子犬《こいぬ》」のニュースが片桐家《かたぎりけ》に飛《と》び込《こ》んできたのです。

「こんなかわいそうな犬《いぬ》がいるなら、うちで飼《か》ってあげられたらいいね」

片桐《かたぎり》さんたちは、家族会議《かぞくかいぎ》を開《ひら》きました。そのときに、散歩《さんぽ》させたり食事《しょくじ》をさせたり、みんなで面倒《めんどう》をみるという約束《やくそく》をして、「耳《みみ》を切《き》られた子犬《こいぬ》」の里親《さとおや》に応募《おうぼ》することにしました。

三日後《みっかご》、久与《ひさよ》さんは大阪府《おおさかふ》の役所《やくしょ》から、「ハッピーハウス」の連絡先《れんらくさき》を聞《き》きました。そして、電話《でんわ》をしてみると、すでに全国《ぜんこく》から六〇件以上《けんいじょう》もの問《と》い合《あ》わせがあることを告《つ》げられました。

久与《ひさよ》さんは「耳《みみ》を切《き》られた子犬《こいぬ》」の里親《さとおや》になれる可能性《かのうせい》は少《すく》ないと考《かんが》えていました。それでも、数日後《すうじつご》におくられてきた里親《さとおや》になるための「里親申込書《さとおやもうしこみしょ》」に必要事項《ひつようじこう》を書《か》き込《こ》んで「ハッピーハウス」におくりました。

ひと月《つき》がすぎても、まだ「ハッピーハウス」からは連絡《れんらく》がありません。久《ひさ》与《よ》さんが、あの犬《いぬ》とは縁《えん》がなかったのかな……と思《おも》いはじめた六月《がつ》の中旬《ちゅうじゅん》に、連絡《れんらく》がありました。

リイリイリイン、リイリイリイリイン

「はい、片桐《かたぎり》です」

「もしもし。こちらは大阪《おおさか》のハッピーハウスです」

「ああ、こんにちは」

「希望《きぼう》していた黒《くろ》い子犬《こいぬ》が、片桐《かたぎり》さんのお宅《たく》にいくことに決《き》まりましたよ」

「ええぇ、本当《ほんとう》ですか！」

こうして根羽村《ねばむら》に「耳《みみ》を切《き》られた子犬《こいぬ》」がやってくることが決《き》まりました。

久与《ひさよ》さんは、さっそく、いとこの小木曽《おぎそ》亮弌《りょういち》村長《そんちょう》(六一歳《さい》)に、「耳《みみ》を切《き》られた子犬《こいぬ》」がやってくることを知《し》らせました。

「村長《そんちょう》。〈耳《みみ》を切《き》られた子犬《こいぬ》〉が、うちにくることになりましたよ」

村長《そんちょう》は自分《じぶん》のことのように喜《よろこ》んでくれました。

「それはよかった。こんなに殺伐《さつばつ》とした社会《しゃかい》でも、この根羽村《ねばむら》は自然《しぜん》がゆたかで安心《あんしん》して暮《く》らせる土地《とち》じゃ。子犬《こいぬ》も幸《しあわ》せになることじゃろう」

村《むら》の土地《とち》の九二パーセントが森《もり》や林《はやし》でおおわれた根羽村《ねばむら》は、林業《りんぎょう》が盛《さか》んです。村長《そんちょう》は村《むら》の木《き》を切《き》り出《だ》してきて、わざわざロッジ風《ふう》の犬小屋《いぬごや》をこしらえてくれました。

根羽村《ねばむら》の山里《やまざと》に、太陽《たいよう》が照《て》りつける七月《がつ》――

甲斐《かい》さんがオスの子犬《こいぬ》「セイジ」を連《つ》れてやってきました。

村長《そんちょう》をはじめ、たくさんの村人《むらびと》が待《ま》っていました。

甲斐《かい》さんは、誰《だれ》かえらい人《ひと》でもくるのかなと思《おも》っていたら、なんと村《むら》をあげて子犬《こいぬ》の到着《とうちゃく》を待《ま》っていてくれたのです。

甲斐《かい》さんは、立派《りっぱ》な檜《ひのき》でつくられた犬小屋《いぬごや》をみて、思《おも》わず口《くち》にしました。

「うわぁあ。住《す》みやすそうな立派《りっぱ》なお家《うち》ですね。わたしが住《す》みたいくらいだわ」

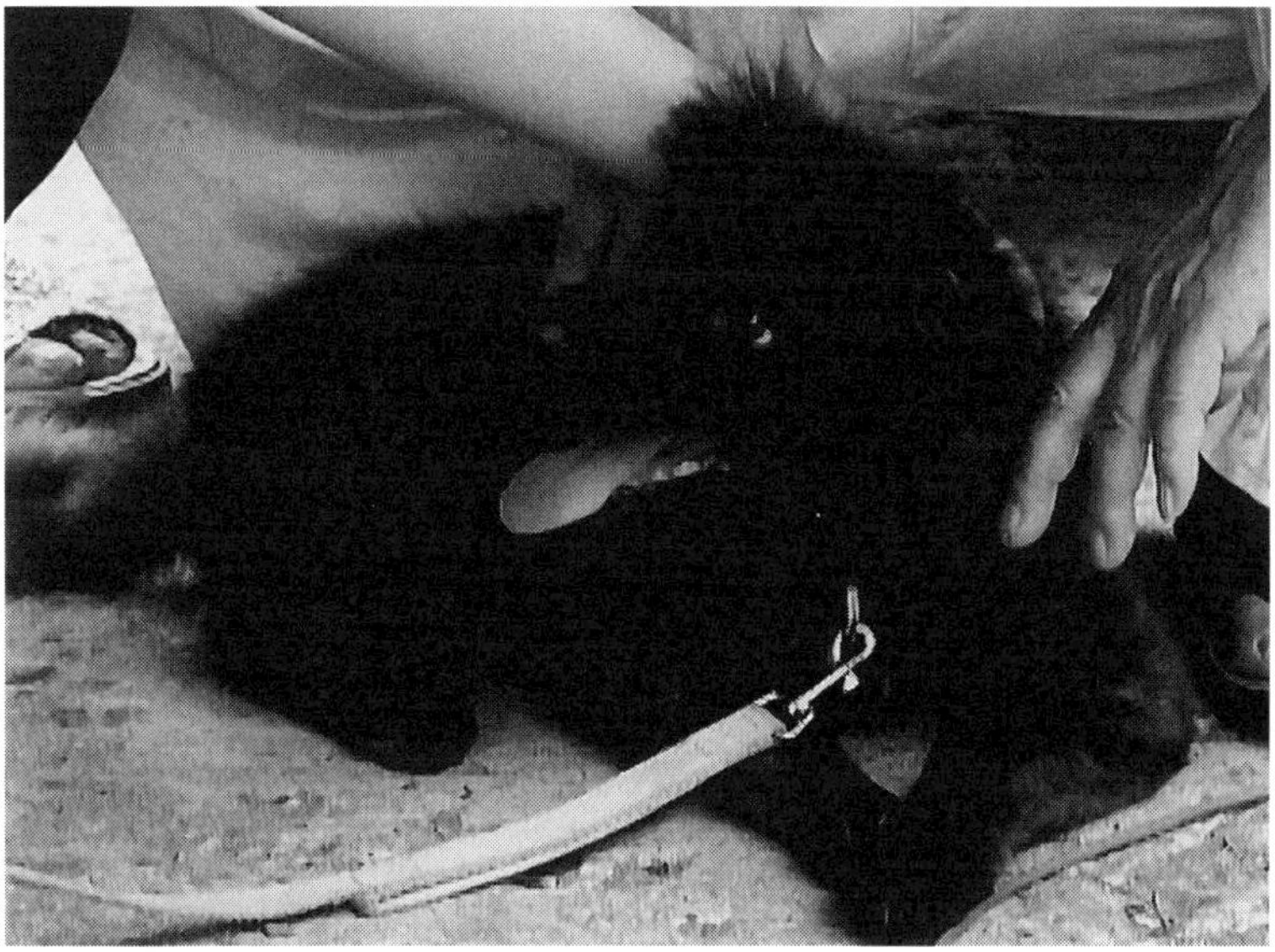

黒《くろ》いひとみがかわいい、ミムジー(セイジ)

片桐《かたぎり》さん家族《かぞく》とミムジー。万由軌《まゆき》さんに抱《かか》えられたよ。

そして、村《むら》の人《ひと》たちはやさしく子犬《こいぬ》を見守《みまも》ってくれると確信《かくしん》しました。

さっそく、子犬《こいぬ》は犬小屋《いぬごや》にはいっていきました。

甲斐《かい》さんは、子犬《こいぬ》の耳《みみ》や足先《あしさき》の傷《きず》は治《なお》っているけれども、心《こころ》の傷《きず》はまだまだ深《ふか》いことを久与《ひさよ》さんに伝《つた》えました。

「この子《こ》は四匹《ひき》の子犬《こいぬ》のなかで一番《いちばん》、気《き》が弱《よわ》いようです。はじめて会《あ》う人間《にんげん》には、いつもおびえていて、なかなか心《こころ》を開《ひら》いてくれません」

久与《ひさよ》さんは、家《いえ》の裏《うら》の河原《かわら》を指《ゆび》さして言《い》いました。

「あの子《こ》を河原《かわら》で遊《あそ》ばせてやります。この自然《しぜん》のなかで、ゆっくり育《そだ》てながら、心《こころ》の傷《きず》をいやします」

犬小屋《いぬごや》のすぐそばでは、万由軌《まゆき》さんが笑顔《えがお》で子犬《こいぬ》をながめていました。

「うわぁあ、本当《ほんとう》に犬《いぬ》が飼《か》えるんだなぁ」

そんな娘《むすめ》の姿《すがた》をみて、久与《ひさよ》さんは自分《じぶん》が万由軌《まゆき》さんくらいのころを思《おも》い出《だ》していました。

＊　＊

一九六五年《ねん》、久与《ひさよ》さんが小学校《しょうがっこう》三年生《ねんせい》のときです。根羽村《ねばむら》で生《う》まれ育《そだ》った久与《ひさよ》さんは、小《ちい》さいころから飼《か》っていた犬《いぬ》たちと山《やま》や川《かわ》で遊《あそ》んでいました。とくに印象《いんしょう》に残《のこ》っている犬《いぬ》が「クロ」という名前《なまえ》の、真《ま》っ黒《くろ》な雑種犬《ざっしゅけん》でした。

久与《ひさよ》さんはクロといっしょに学校《がっこう》にかよっていました。先生《せんせい》もクロを教室《きょうしつ》にいれてくれました。クロは授業《じゅぎょう》が終《お》わるまで、隅《すみ》っこで待《ま》っていました。

そのクロが四匹《ひき》の子犬《こいぬ》を産《う》んだのです。

けれども、そのうちの二匹《ひき》は、前足《まえあし》が変形《へんけい》している「障害犬《しょうがいけん》」でした。ほかの二匹《ひき》の「健常犬《けんじょうけん》」は、すぐに里親《さとおや》がみつかりました。けれども、二匹《ひき》の障害犬《しょうがいけん》には、なかなかもらい手《て》がみつかりません。

久与《ひさよ》さんは、二匹《ひき》の障害犬《しょうがいけん》に「チビ」と「チロ」という名前《なまえ》をつけてかわいがっていました。

チビとチロは足《あし》が不自由《ふじゆう》なせいか臆病《おくびょう》で、よく吠《ほ》える犬《いぬ》でした。

久与《ひさよ》さんのお父《とう》さんの仕事関係者《しごとかんけいしゃ》がやってきたときも、チビとチロは吠《ほ》えました。すると、その大阪《おおさか》の建設会社《けんせつがいしゃ》の親方《おやかた》は、久与《ひさよ》さんのお父《とう》さんに言《い》いました。

「この二匹《ひき》、よく吠《ほ》えるなぁ。こんど、岐阜県《ぎふけん》の大《おお》きなダム工事《こうじ》の現場《げんば》があるから、そこの番犬《ばんけん》にしたいのですが」

こうして黒《くろ》い二匹《ひき》の障害犬《しょうがいけん》は、生後《せいご》二カ月《げつ》で、久与《ひさよ》さんのもとからいなくなりました。

家《いえ》で産《う》まれた子犬《こいぬ》が、里親《さとおや》にもらわれていくたびに、いつも久与《ひさよ》さんは寂《さみ》しいなぁ……でもどこかで、また会《あ》えるといいなぁ……と思《おも》っていました。

チビとチロが大阪《おおさか》にもらわれていくときは、本当《ほんとう》によかった……幸《しあわ》せになってね……という気持《きも》ちでいっぱいでした。ひとりっ子《こ》だった久与《ひさよ》さんにとって、チビとチロは二カ月《げつ》だけ、ともに生《い》きた兄弟《きょうだい》みたいでした。その後《ご》クロは、久与《ひさよ》さんが成人《せいじん》するまで生《い》きていました。けれども、最後《さいご》はどこでどのようにしていたのかが、わからないのです。

久与《ひさよ》さんは高校《こうこう》と大学《だいがく》を名古屋《なごや》ですごしました。

そして、週末《しゅうまつ》の土曜日《どようび》と日曜日《にちようび》にかけて根羽村《ねばむら》に帰《かえ》ってくると、クロが尻尾《しっぽ》を振《ふ》って迎《むか》えてくれました。

けれども、ある日《ひ》のことです。

いつものように週末《しゅうまつ》に帰宅《きたく》すると、かならず飛《と》びついて迎《むか》えてくれるクロの姿《すがた》がないのです。

「お母《かあ》さん。クロはどこへいってしまったの?」

久与《ひさよ》さんがお母《かあ》さんにたずねると、思《おも》ってもみない言葉《ことば》が返《かえ》ってきました。

「クロは、親戚《しんせき》のおじさんが、年《とし》とった犬《いぬ》を飼《か》ってみたいって、無理《むり》やり自《じ》動車《どうしゃ》に乗《の》せて、連《つ》れていってしまったんだよ」

「そんな……」

その親戚《しんせき》の人《ひと》は、根羽村《ねばむら》の家《いえ》にくるたびにクロをほしがっていました。

「もちろん、わたしはダメだと言《い》ったのだけれど、おじさんは強引《ごういん》な人《ひと》で……」

クロは根羽村《ねばむら》から、自動車《じどうしゃ》で二時間《じかん》ほどの距離《きょり》にある、愛知県《あいちけん》岡崎市《おかざきし》に連《つ》れていかれてしまったのです。

久与《ひさよ》さんは、すぐに親戚《しんせき》のおじさんに電話《でんわ》をしました。

「クロを返《かえ》してください!!」

「それが、久与《ひさよ》ちゃん。クロは家《いえ》に着《つ》いて自動車《じどうしゃ》から降《お》ろそうとしたときに、いなくなってしまって……」

「……!?」

「きっと、クロは根羽村《ねばむら》にもどろうとしたのだろうなぁ」

久与《ひさよ》さんは悲《かな》しくてしかたがありませんでした。犬《いぬ》が寿命《じゅみょう》で自分《じぶん》のもとからいなくなるなら、あきらめがついたかもしれません。けれども、自分《じぶん》たちのもとにもどろうとして、年老《としお》いたクロは、いなくなってしまったのです。一七年《ねん》ものあいだいっしょに生《い》きてきて、こんな別《わか》れ方《かた》をするなんて思《おも》ってもいませんでした。

久与《ひさよ》さんは、自分《じぶん》の気持《きも》ちに区切《くぎ》りをつけるために、こう思《おも》うことにしたのです。

クロは、根羽村《ねばむら》にむかってゆっくり歩《ある》いている途中《とちゅう》で道《みち》に迷《まよ》ってしまい、親切《しんせつ》な人《ひと》に拾《ひろ》われたんだ。また、どこかで会《あ》えるかもしれない、と。

＊　　＊

それから二〇年以上《ねんいじょう》の歳月《さいげつ》が流《なが》れ、久与《ひさよ》さんは五人《にん》の子《こ》どもの母親《ははおや》になりました。

五人《にん》の子《こ》どもには、それぞれ個性的《こせいてき》な名前《なまえ》がつけられました。長男《ちょうなん》は未久《みく》良《ら》くん。次男《じなん》は以和登《いわと》くん。長女《ちょうじょ》は万由軌《まゆき》さん。三男《さんなん》は慈由那《しうな》くん。次女《じじょ》は由宇我《ゆうが》ちゃん。
五人《にん》の名前《なまえ》をローマ字《じ》で書《か》いてみると、
MIKURA（みくら）
IWATO（いわと）
MAYUKI（まゆき）
SIUNA（しうな）
YUUGA（ゆうが）
となります。
それぞれの名前《なまえ》の頭文字《かしらもじ》を並《なら》べると「MIMSY（ミムジー）」です。この「ミムジー」が子犬《こいぬ》の新《あたら》しい名前《なまえ》になったのです。
やってきた最初《さいしょ》の夜《よる》、ミムジーは犬小屋《いぬごや》のなかで遠吠《とおぼ》えをあげていました。
ウォオォン、ウォオォン
兄弟《きょうだい》や仲間《なかま》がたくさんいた「ハッピーハウス」から、たった一匹《ぴき》になって寂《さみ》しかったのでしょう。

久与《ひさよ》さんはミムジーを抱《だ》きかかえて、すぐそばの公園《こうえん》に連《つ》れていきました。これまで五人《にん》の子《こ》どもたちが赤《あか》ちゃんだったときに大泣《おおな》きをすると、こうして抱《だ》きしめてブランコに乗《の》ってあやしたのです。

久与《ひさよ》さんは、ミムジーのことも同《おな》じようにあやしはじめました。

「ミムジー、寂《さみ》しくないよ。ミムジー、泣《な》かないの。ミムジー、ひとりじゃないのよ」

まるでミムジーは、久与《ひさよ》さんの六番目《ばんめ》の子《こ》どものようです。

久与《ひさよ》さんは、次《つぎ》の夜《よる》も遠吠《とおぼ》えをあげるミムジーを公園《こうえん》であやしました。

すると三日目《みっかめ》から、ミムジーは犬小屋《いぬごや》で静《しず》かに眠《ねむ》るようになりました。

そんなミムジーに、片桐家《かたぎりけ》の腕白《わんぱく》ざかりの子《こ》どもたちは語《かた》りかけます。

「ミムジー。おまえをこんなひどい目《め》にあわせたのは、どんなヤツなんだい？」

「ミムジー。犯人《はんにん》をみたのだろう。言《い》ってしまえよ」

しかし、ミムジーはなにも答《こた》えず、五人《にん》の子《こ》どもたちとじゃれあうだけです。

＊　＊

ミムジーが片桐家《かたぎりけ》にやってきて一年《ねん》がすぎても怖《こわ》がりな性格《せいかく》は変《か》わりません。それでも、淀川《よどがわ》の河川敷《かせんじき》よりも広《ひろ》い根羽村《ねばむら》の自然《しぜん》のなかを、ミムジーはきょうもかけ回《まわ》っているのです。

子犬《こいぬ》たちの旅立《たびだ》ち④　病気《びょうき》の主人《しゅじん》の生《い》きがいに

二〇〇一年《ねん》五月《がつ》一五日《にち》の大阪府《おおさかふ》大阪市《おおさかし》です。

その大阪《おおさか》の中心部《ちゅうしんぶ》、ＪＲ《ジェイアール》大阪駅《おおさかえき》から地下鉄《ちかてつ》に乗《の》りかえて一五分《ふん》くらい揺《ゆ》られると、下町情緒漂《したまちじょうちょただよ》う谷町《たにまち》というところに着《つ》きます。

この町《まち》の商店街《しょうてんがい》に一軒《けん》の電気屋《でんきや》さんがあります。そこには、にぎやかな女《おんな》主人《しゅじん》の大田晴美《おおたはるみ》さん（六〇歳《さい》）がいます。

晴美《はるみ》さんと三男《さんなん》の茂《しげる》さん（三三歳《さい》）は、その日《ひ》の朝刊《ちょうかん》に書《か》かれていた《子犬《こいぬ》4匹《ひき》　耳切断《みみせつだん》される》というニュースを目《め》にして話《はな》し合《あ》っていました。

「なあ、茂《しげる》。かわいそうなことが、あるもんや」

「お母《かあ》ちゃん。そうやな」

そんなふたりの足《あし》もとには、年老《としお》いた犬《いぬ》がいます。

大田《おおた》さん親子《おやこ》は、うしろ足《あし》がきかなくなった老犬《ろうけん》を飼《か》っていました。

「こらエル、はよう茂《しげる》にご飯《はん》をあげんかい！」

茂《しげる》さんは、またか……という表情《ひょうじょう》を晴美《はるみ》さんにむけます。

「お母《かあ》ちゃん、間違《まちが》えとるで！」

「ああ、そうやった。茂《しげる》、はようエルにご飯《はん》をあげといてや！」

晴美《はるみ》さんは、老犬《ろうけん》・エルと三男《さんなん》の茂《しげる》さんの名前《なまえ》を、ときたま間違《まちが》えてしまうのです。

エルは大田家《おおたけ》で一七年《ねん》も暮《く》らしているオスのシェルティー・ドッグです。エルが年老《としお》いて歩《ある》けなくなると、晴美《はるみ》さんは電化製品《でんかせいひん》を運《はこ》ぶ台車《だいしゃ》に乗《の》せて、自《じ》宅《たく》から店《みせ》まで連《つ》れてきていました。

それでも六月《がつ》になると、エルは老衰《ろうすい》で息《いき》をひきとりました。

＊　＊

エルがこの世《よ》を去《さ》って二カ月《げつ》がすぎました。

いつものように、お店《みせ》で晴海《はるみ》さんが、にぎやかに茂《しげる》さんと話《はな》しています。

「なあ、茂《しげる》。そろそろ新《あたら》しい犬《いぬ》を飼《か》っても、エルはうらまないよな」

「あれだけ、お母《かあ》ちゃんが最期《さいご》までかわいがったんやから、だいじょうぶやろ」

「エルが死《し》んでしまったときは、もう辛《つ》ろうてたまらんかった。もう犬《いぬ》を飼《か》うのは、やめようと思《おも》っていたんや。そやけど……」

「そやけど……??」

「……なんか寂《さみ》しゅうて、寂《さみ》しゅうて。ふだんおる犬《いぬ》が、突然《とつぜん》いなくなってしまうちゅうことは辛《つら》いなぁ」

「お母《かあ》ちゃん。エルには充分《じゅうぶん》な愛情《あいじょう》を注《そそ》いで死《し》に際《ぎわ》まで看取《みと》ったんや。新《あたら》しい犬《いぬ》を飼《か》っても、エルは許《ゆる》してくれるとちゃうか」

茂《しげる》さんは、新《あたら》しい犬《いぬ》を飼《か》うことに賛成《さんせい》しました。

数日後《すうじつご》、晴美《はるみ》さんは近所《きんじょ》の犬好《いぬず》きの奥《おく》さんの岩下《いわした》さんに相談《そうだん》しました。

「新《あたら》しい犬《いぬ》を飼《か》おうと思《おも》うのやけど……」

岩下《いわした》さんは、動物保護《どうぶつほご》センターの話《はなし》をしてくれました。

「保健所《ほけんじょ》に捕獲《ほかく》された犬《いぬ》が、動物保護《どうぶつほご》センターにたくさんおると思《おも》うけれど……」

晴美《はるみ》さんは、動物保護《どうぶつほご》センターに思《おも》いを巡《めぐ》らせました。

「そうやね。動物保護《どうぶつほご》センターから犬《いぬ》をもらえば、処分《しょぶん》される運命《うんめい》の犬《いぬ》を助《たす》けられるものね」

岩下《いわした》さんと別《わか》れて、ひとりになった晴美《はるみ》さんは、ふたたび動物保護《どうぶつほご》センターの犬《いぬ》たちのことを想像《そうぞう》しました。すると、たくさんの犬《いぬ》が、「ぼくを選《えら》んで！　わたしを助《たす》けて！」とすがってくるシーンが頭《あたま》に浮《う》かんできました。

晴美《はるみ》さんは、はっとしました。動物保護《どうぶつほご》センターにいる多《おお》くの犬《いぬ》のなかから一匹《ぴき》を引《ひ》きとるということは、処分《しょぶん》されてしまう犬《いぬ》たちのなかから一匹《ぴき》だけを救《すく》うことではないか……。

次《つぎ》の日《ひ》、晴美《はるみ》さんは岩下《いわした》さんに告《つ》げました。

「動物保護《どうぶつほご》センターで処分《しょぶん》を待《ま》つ犬《いぬ》を救《すく》うことは、とても尊《とおと》いことやね。でも、わたしには、多《おお》くの命《いのち》から一つの命《いのち》を選《えら》び出《だ》す神《かみ》さまのようなことは、とてもできそうにないわ」

長《なが》い歳月《さいげつ》を犬《いぬ》と暮《く》らしてきた晴美《はるみ》さんは、人間《にんげん》も犬《いぬ》も、命《いのち》の重《おも》さは同《おな》じだと思《おも》っていたからです。

すると岩下《いわした》さんは、「それならば」と、晴美《はるみ》さんに話《はな》しました。

「能勢町《のせちょう》に、ハッピーハウスという犬《いぬ》や猫《ねこ》を保護《ほご》している施設《しせつ》があるけど……。この施設《しせつ》から犬《いぬ》をもらい受《う》けることは、助《たす》かる命《いのち》と助《たす》からない命《いのち》をわけることではないわ。どの犬《いぬ》たちもハッピーハウスのスタッフの力《ちから》で、保護《ほご》されているから……」

「ハッピーハウス」の存在《そんざい》を知《し》った晴美《はるみ》さんは、そこから犬《いぬ》をもらってもいいかな、と思《おも》いました。

二週間後《しゅうかんご》、晴美《はるみ》さんは、ご主人《しゅじん》の正治《せいじ》さん(七一歳《さい》)と、次男《じなん》の康典《やすのり》さん(四三歳《さい》)と茂《しげる》さんの四人《にん》で、「ハッピーハウス」にむかいました。

自動車《じどうしゃ》を二時間《じかん》も走《はし》らせると「ハッピーハウス」に到着《とうちゃく》しました。

「ちょっと身体《からだ》がしんどいから、自動車《じどうしゃ》のなかで待《ま》ってるよ」

そう言《い》う正治《せいじ》さんを残《のこ》して、晴美《はるみ》さんたちはハウスにはいっていきました。

すると、たくさんの犬《いぬ》たちが晴美《はるみ》さんを迎《むか》えてくれました。

晴美《はるみ》さんは、犬《いぬ》の数《かず》の多《おお》さにおどろきました。それから、女性《じょせい》スタッフに犬舎《けんしゃ》を案内《あんない》されながら、もらい受《う》ける犬《いぬ》を探《さが》しました。

「こんなに、犬《いぬ》を捨《す》てていく人《ひと》がいるんやね」

「いまは、犬《いぬ》と猫《ねこ》を合《あ》わせて四〇〇匹《びき》くらいいるんじゃないでしょうか」

晴美《はるみ》さんたちは、ケージが並《なら》んでいる一室《いっしつ》に案内《あんない》されました。

茂《しげる》さんは、ケージのなかの犬《いぬ》たちを一匹《ぴき》ずつ順番《じゅんばん》にみていこうとしました。そして、上段《じょうだん》、下段《げだん》と並《なら》んでいるケージを上《うえ》から下《した》にみていくと、茶色《ちゃいろ》い犬《いぬ》と目《め》が合《あ》いました。

おやっ？

茂《しげる》さんは茶色《ちゃいろ》い犬《いぬ》に手《て》を差《さ》し出《だ》しました。すると、クンクンクンと鼻《はな》を近《ちか》づけてきて、ペロペロと手《て》のひらをなめはじめました。

「お母《かあ》ちゃん。この犬《いぬ》、人《ひと》なつこいで……」

女性《じょせい》スタッフは、この茶色《ちゃいろ》いオス犬《いぬ》が一度《ど》は里親《さとおや》にもらわれたものの、ハウスにもどってきたことを教《おし》えてくれました。

「この犬《いぬ》にしよか」

と、茂《しげる》さんが子犬《こいぬ》をなでています。

「お店《みせ》にくるお客《きゃく》さんにかわいがってもらうにも、人《ひと》なつこいほうがええからな。それに、やんちゃそうやけど無駄吠《むだぼ》えもしなさそうや」

晴美《はるみ》さんも、子犬《こいぬ》のことが気《き》にいったようです。

そのとき、康典《やすのり》さんが声《こえ》をあげました。

「あれっ？　この犬《いぬ》、耳《みみ》があらへん」

晴美《はるみ》さんと茂《しげる》さんも、視線《しせん》を犬《いぬ》の耳元《みみもと》にむけました。

「こういう犬種《けんしゅ》なんやわ」

「はじめてみるわ」

そんなことを晴美《はるみ》さんと康典《やすのり》さんが話《はな》していると、案内《あんない》してくれている女性《じょせい》スタッフが、耳《みみ》のない理由《りゆう》を教《おし》えてくれました。

「この耳《みみ》のない犬《いぬ》は、今年《ことし》の五月《がつ》のはじめに、淀川《よどがわ》の河川敷《かせんじき》で耳《みみ》や指《ゆび》を切《き》られた四匹《ひき》の子犬《こいぬ》のうちの一匹《ぴき》なんですよ。タイムと呼《よ》ばれていますす」

晴美《はるみ》さんたちは、三カ月前《げつまえ》の《子犬《こいぬ》4匹《ひき》　耳切断《みみせつだん》される》のニュースを思《おも》い出《だ》しました。

「あったあった。ひどい事件《じけん》やった」

「覚《おぼ》えとる。あのときの子犬《こいぬ》か……」

「捨《す》て犬《いぬ》も問題《もんだい》やけど、虐待《ぎゃくたい》も大問題《だいもんだい》や」

晴美《はるみ》さん親子《おやこ》は、そんなことを話《はな》しながら、この茶色《ちゃいろ》い子犬《こいぬ》をもらい受《う》けることを決《き》めました。

「〈耳《みみ》を切《き》られたかわいそうな犬《いぬ》〉を飼《か》うんやない。〈新聞報道《しんぶんほうどう》された有名《ゆうめい》な犬《いぬ》〉をもらうんでもない。わたしらと縁《えん》あって引《ひ》きとることになった犬《いぬ》が、たまたま〈耳《みみ》を切《き》られて新聞《しんぶん》に出《で》た犬《いぬ》〉なんや」

晴美《はるみ》さんは、そんなことを思《おも》っていました。

＊　＊

それからふた月《つき》がすぎた十月《がつ》の中旬《ちゅうじゅん》、耳《みみ》のない茶色《ちゃいろ》い犬《いぬ》を「ハッピーハウス」のスタッフが晴美《はるみ》さんのもとへ連《つ》れてきてくれました。

犬《いぬ》の名前《なまえ》は、長生《ながい》きした前《まえ》の犬《いぬ》と同《おな》じ「エル」としました。

二代目《だいめ》エルは、お店《みせ》のお客《きゃく》さんにもかわいがられました。

家《いえ》にきてからのエルは、足《あし》を少《すこ》し引《ひ》きずっているものの、やんちゃぶりは変《か》わりません。それでも、はじめは外《そと》を怖《こわ》がっていました。

晴美《はるみ》さんは、朝《あさ》の九時《じ》ごろにエルを連《つ》れて店《みせ》にむかいます。そして、夕方《ゆうがた》六時《じ》には、エルといっしょに家《いえ》に帰《かえ》ります。普通《ふつう》にかようと、五分《ふん》もかからない距離《きょり》でも遠回《とおまわ》りして散歩《さんぽ》させながら歩《ある》きます。

その途中《とちゅう》で、ガラの悪《わる》そうな茶髪少年《ちゃぱつしょうねん》たちにとり囲《かこ》まれたことがありました。

少年《しょうねん》のひとりが、言《い》いました。

「おばちゃん。この犬《いぬ》、耳《みみ》があらへんの？」

晴美《はるみ》さんは生意気盛《なまいきざか》りの少年《しょうねん》たちに、エルが受《う》けた仕打《しう》ちを話《はな》して聞《き》かせました。

すると少年《しょうねん》たちは正義感《せいぎかん》をみなぎらせました。

「そんな悪《わる》いことするヤツがおるの!?」

「許《ゆる》せへん！」

「しかし、ひどいことする人間《にんげん》がいるもんだ！」

大田《おおた》さんの家族《かぞく》になったエル。
お母《かあ》さんの晴美《はるみ》さん。茂《しげる》さん(右《みぎ》)と康典《やすのり》さん(中央《ちゅうおう》)。

「絶対《ぜったい》に心《こころ》を病《や》んだヤツが、犯人《はんにん》や！」

社会《しゃかい》では不良《ふりょう》と呼《よ》ばれそうな格好《かっこう》をしている少年《しょうねん》たちですが、少《すく》なくとも動物《どうぶつ》にたいしてはやさしい気持《きも》ちを持《も》っていることを、晴美《はるみ》さんは知《し》りました。

その日《ひ》から、晴美《はるみ》さんは町《まち》で茶髪《ちゃぱつ》の少年少女《しょうねんしょうじょ》をみかけると、エルを連《つ》れて近《ちか》づいていき、虐待《ぎゃくたい》された話《はなし》を聞《き》かせるのでした。

＊　＊

年《とし》が明《あ》けた二〇〇二年《ねん》一月《がつ》。身体《からだ》の具合《ぐあい》が悪《わる》いと言《い》っていた正治《せいじ》さんが、重《おも》い病《やまい》にかかっていることがわかりました。正治《せいじ》さんは、近《ちか》くの病院《びょういん》に入院《にゅういん》することになりました。

晴美《はるみ》さんは、エルを連《つ》れて正治《せいじ》さんを見舞《みま》うようになりました。もちろん病院内《びょういんない》に、犬《いぬ》を連《つ》れてはいることはできません。エルは、正治《せいじ》さんが入院《にゅういん》している三階《がい》の病室《びょうしつ》の窓《まど》からみえる中庭《なかにわ》にたたずむだけです。

それでも正治《せいじ》さんは、大《おお》きく開《あ》けた窓《まど》から上半身《じょうはんしん》を乗《の》り出《だ》して、大《おお》きく手《て》を振《ふ》ります。

「エルぅうっ。エルぅうっ。おぉおい、エルぅうっ」

その後《ご》、晴美《はるみ》さんがエルを家《いえ》において正治《せいじ》さんの病室《びょうしつ》に見舞《みま》いにやってくると、かならず口《くち》にする言葉《ことば》があります。

「きょうもエルに会《あ》えたからうれしいよ」

正治《せいじ》さんは、エルに会《あ》えることをはげみに、病気《びょうき》と闘《たたか》っていたのです。

春《はる》には正治《せいじ》さんの病気《びょうき》が、ますます重《おも》くなってしまい、ベッドから起《お》き上《あ》がれない状態《じょうたい》になってしまいました。たった一つの楽《たの》しみだった、窓越《まどご》しにエルと会《あ》うことができなくなってしまったのです。

それでも、毎晩《まいばん》やってくる晴美《はるみ》さんから、エルの話《はなし》を聞《き》くのが、正治《せいじ》さんの生《い》きがいでした。

「はよう元気《げんき》になって、エルに会《あ》いたいわ」

「そやなぁ。お父《とう》ちゃん、エルも待《ま》っとるで」

「犬《いぬ》は裏表《うらおもて》がない神さま《さま》みたいなもんや」

「それにしても、自分《じぶん》の息子《むすこ》の話《はなし》よりもエルの話《はなし》を聞《き》くときのほうが、お父《とう》ちゃん、うれしそうやなぁ」

「そうや。エルは四男坊《なんぼう》みたいなもんや」

＊　＊

エルのことを誰《だれ》よりも愛《あい》していた正治《せいじ》さんは、二〇〇二年《ねん》六月《がつ》に、この世《よ》を去《さ》りました。

大阪《おおさか》の河川敷《かせんじき》に産《う》まれ落《お》ち、人間《にんげん》に傷《きず》を負《お》わされたエルは、弘子《ひろこ》さんに保《ほ》護《ご》され、甲斐《かい》さんに育《そだ》てられ、晴美《はるみ》さんのもとにやってきました。そして、正《せい》治《じ》さんに生《い》きる希望《きぼう》を与《あた》えていたのです。

心《こころ》を閉《と》ざした父犬《ちちいぬ》クロ

「耳《みみ》を切《き》られた子犬《こいぬ》たち」の里親《さとおや》がみつかりはじめた二〇〇一年《ねん》六月《がつ》。淀川《よどがわ》の河川敷《かせんじき》では、子犬《こいぬ》たちの父犬《ちちいぬ》である群《む》れのリーダー犬《けん》クロが、ついにつかまってしまいました。

その日《ひ》の夕方《ゆうがた》、弘子《ひろこ》さんの家《いえ》に保健所《ほけんじょ》の職員《しょくいん》から電話《でんわ》があったのです。

「きょう、いつもの公園付近《こうえんふきん》で黒《くろ》い犬《いぬ》をつかまえましたよ」

「えっ!? その犬《いぬ》は箕面市《みのおし》の捨《す》て犬《いぬ》を収容《しゅうよう》するセンターにいますか?」

弘子《ひろこ》さんは、保健所《ほけんじょ》の捕獲員《ほかくいん》が河川敷《かせんじき》でつかまえることの邪魔《じゃま》はしません。

犬嫌《いぬぎら》いの人《ひと》が保健所《ほけんじょ》に通報《つうほう》すれば、捕獲員《ほかくいん》は野良犬《のらいぬ》たちをつかまえるのが仕事《しごと》だからです。だから、しかたないことだと思《おも》っています。いけないのは、河川敷《かせんじき》に犬《いぬ》を捨《す》ててしまうことだと強《つよ》く思《おも》っています。

弘子《ひろこ》さんは、「つかまえないで!」と捕獲員《ほかくいん》に言《い》うのではなく「野良犬《のらいぬ》をつかまえたら連絡《れんらく》をください」と伝《つた》えておいたのです。

翌日《よくじつ》、弘子《ひろこ》さんは八木《やぎ》さんの自動車《じどうしゃ》で、大阪府箕面市《おおさかふみのおし》の捨《す》て犬《いぬ》を収容《しゅうよう》するセンターに急《いそ》ぎました。ここの「保護《ほご》」とは、何日《なんにち》かがすぎると殺《ころ》されてしまう「保護《ほご》」だからです。

クロは三島江公園《みしまえこうえん》の犬《いぬ》たちのリーダーで、河川敷《かせんじき》でクロをみかけないことはありませんでした。けれども、人間《にんげん》が食《た》べ物《もの》をやろうと思《おも》っても、遠《とお》くのほうにいて近《ちか》くまでは寄《よ》ってこない犬《いぬ》でした。顔《かお》に傷跡《きずあと》があり、黒《くろ》い身体《からだ》に黄色《きいろ》く鋭《するど》い目《め》を光《ひか》らせている犬《いぬ》でした。

弘子《ひろこ》さんと八木《やぎ》さんは、クロがいるセンターに到着《とうちゃく》しました。

犬舎《けんしゃ》のなかにいるクロは、ふたりをじっとみつめています。

弘子《ひろこ》さんは、体《からだ》の大《おお》きなクロを間近《まじか》にして、軽《かる》い恐怖《きょうふ》を感《かん》じました。

ちょっとおそろしいなぁ……。

センターの職員《しょくいん》が、犬《いぬ》をつかまえてくれるわけではありません。

「自分《じぶん》で鎖《くさり》をつけて、連《つ》れて帰《かえ》って」

職員《しょくいん》からは、ぶっきらぼうに、そう言《い》われただけでした。

それよりも、ふたりにとって嫌《いや》だったことは、数十匹《すうぴき》はいるかと思《おも》われる捕獲《ほかく》された犬《いぬ》たちのなかから、一匹《いっぴき》だけを救《すく》い出《だ》すことでした。

弘子《ひろこ》さんと八木《やぎ》さんが、犬舎《けんしゃ》のなかのクロのそばに近《ちか》づいていきました。

すると、ほかの犬《いぬ》たちの半数近《はんすうちか》くが、ふたりに吠《ほ》えてきました。それにたいして、吠《ほ》えていない半数《はんすう》の犬《いぬ》たちは、寂《さみ》しげな視線《しせん》をおくってきました。

ふたりは、そのような犬《いぬ》たちの鳴《な》き声《ごえ》を聞《き》かないように、また視線《しせん》を合《あ》わせないようにしながら、クロに近《ちか》づいていきました。

クロは、八木《やぎ》さんがふれようとすると、逃《に》げ出《だ》す態勢《たいせい》をつくりました。けれども次《つぎ》の瞬間《しゅんかん》には、その場《ば》にしゃがみこみました。

八木《やぎ》さんは、まったく動《うご》かなくなったクロをつかまえ、弘子《ひろこ》さんがクロに首輪《くびわ》をして鎖《くさり》をつけました。

クロはうなり声《ごえ》をあげることもなく、静《しず》かにしていました。

まるで、自分《じぶん》の運命《うんめい》をふたりの人間《にんげん》にゆだねているようでした。

こうして無事《ぶじ》にリーダー犬《けん》クロを保護《ほご》して、自動車《じどうしゃ》をとめてあるガレージまで連《つ》れ出《だ》しました。

しかし、そこでクロはあばれ出《だ》しました。

外《そと》の空気《くうき》を吸《す》って、自由《じゆう》にかけ回《まわ》っていたころを思《おも》い出《だ》してしまったのかもしれません。

「クロ。おねがいだから言《い》うことを聞《き》いて。ここにいたら殺《ころ》されるのよ」

そんな弘子《ひろこ》さんの声《こえ》を無視《むし》するかのように、河川敷《かせんじき》のボス犬《いぬ》だったクロは、すさまじい力《ちから》で足《あし》を後方《こうほう》に踏《ふ》ん張《ば》りました。すると、すぽっと首輪《くびわ》が抜《ぬ》けてしまいました。

「こら、クロ！　ここは河川敷《かせんじき》じゃないんだぞ！」

八木《やぎ》さんが叫《さけ》びながら、必死《ひっし》にクロをとり押《お》さえました。そして、弘子《ひろこ》さんが首輪《くびわ》の穴《あな》を一つ分《ぶん》きつく締《し》めなおしました。こんどは、どんなにあばれても首輪《くびわ》がはずれることはありませんでした。

やれやれと思《おも》って、弘子《ひろこ》さんと八木《やぎ》さんが自動車《じどうしゃ》に乗《の》せようとすると、こんどは鎖《くさり》に咬《か》みつき、口《くち》からは血《ち》を流《なが》しはじめました。ふだんは細《ほそ》いクロの目《め》が、かぁっと血走《ちば》しり大《おお》きく見開《みひら》いていました。そのさまは、黒《くろ》い狼《おおかみ》のようでした。

それでもなんとか、自動車《じどうしゃ》にクロを乗《の》せることができました。弘子《ひろこ》さんは、恐怖《きょうふ》を感《かん》じながらクロとうしろの座席《ざせき》にすわりました。けれどもクロは、弘子《ひろこ》さんが身体《からだ》の汚《よご》れをとってあげると、じっとしていました。弘子《ひろこ》さんは、クロを家《いえ》で飼《か》ってあげたいと思《おも》っていても、スペース的《てき》に飼《か》うことができませんでした。そこで「ハッピーハウス」に電話《でんわ》をしました。

「中山《なかやま》ですが、一匹《ぴき》、保護《ほご》してほしい犬《いぬ》がいるのですが……」

甲斐《かい》さんは、いつもの歯切《はぎ》れのいい声《こえ》で言《い》いました。

「じゃあ、連《つ》れてきてください」

＊　＊

八木《やぎ》さんの自動車《じどうしゃ》が「ハッピーハウス」に到着《とうちゃく》しました。

弘子《ひろこ》さんは、甲斐《かい》さんにクロのことを説明《せつめい》しました。

甲斐《かい》さんは、びっくりして声《こえ》をあげました。

「それでは、あの子《こ》たちのお父《とう》さんなの！」

そのころ、「耳《みみ》を切《き》られた四匹《ひき》の子犬《こいぬ》たち」は、新《あたら》しい旅立《たびだ》ちを迎《むか》えようとしていました。その子犬《こいぬ》たちの父犬《ちちいぬ》が、口《くち》を血《ち》だらけにしながらハウスにやってきたのです。

自動車《じどうしゃ》からクロを出《だ》すとふたたびあばれましたが、どうにかハウスのケージのなかにはいりました。弘子《ひろこ》さんたちは甲斐《かい》さんに挨拶《あいさつ》をして「ハッピーハウス」をあとにしました。

自由《じゆう》をうばわれたと思《おも》っているのか、元気《げんき》のないクロ。

ローズマリーたちが、それぞれの飼《か》い主《ぬし》のもとへ旅立《たびだ》って、しばらくして弘子《ひろこ》さんはハウスを訪《たず》ねました。

クロのことが気《き》になっていたからです。

「クロ、クロ、おいで」

弘子《ひろこ》さんが呼《よ》んでも、クロは犬小屋《いぬごや》の陰《かげ》にかくれて、姿《すがた》を現《あらわ》しません。弘《ひろ》子《こ》さんは、ケージのなかにはいり、クロのそばまでいきました。それでも、群《む》れのリーダーとして、河川敷《かせんじき》を縦横無尽《じゅうおうむじん》に走《はし》り回《まわ》っていた面影《おもかげ》はありません。ただただ、犬小屋《いぬごや》と壁《かべ》のあいだでじっとしているだけでした。

「ハッピーハウス」でのクロは、食事《しょくじ》のときに顔《かお》を出《だ》すだけで、そのほかは犬小屋《いぬごや》の陰《かげ》にかくれて動《うご》きません。

クロは、河川敷《かせんじき》でのリーダーだったころを思《おも》い出《だ》しているのでしょうか。自分《じぶん》の子《こ》どもである「耳《みみ》を切《き》られた四匹《ひき》の子犬《こいぬ》」はそれぞれ旅立《たびだ》って幸《しあわ》せになっていきました。けれども父犬《ちちいぬ》クロは、深《ふか》く心《こころ》を閉《と》ざしたままなのです。

さよなら、番外地《ばんがいち》の犬《いぬ》

お玉《たま》、プー、ミムジー、エルが耳《みみ》を切《き》られた事件《じけん》が起《お》きてから、一年《ねん》の歳《さい》月《げつ》が流《なが》れていきました。

この間《かん》も、河川敷《かせんじき》の犬《いぬ》たちは、懸命《けんめい》に生《い》き抜《ぬ》いていました。

二〇〇二年《ねん》五月《がつ》六日《むいか》の夕方《ゆうがた》。主婦《しゅふ》である弘子《ひろこ》さんは、仕事《しごと》の帰《かえ》りに買《か》い物《もの》をしていました。すると携帯電話《けいたいでんわ》が鳴《な》りました。

「弘子《ひろこ》さん。たいへんよ」

声《こえ》の主《ぬし》は、いつも三島江《みしまえ》公園《こうえん》の片隅《かたすみ》で、あずかった飼《か》い犬《いぬ》のしつけ訓練《くんれん》をしている高木《たかぎ》久美子《くみこ》さんでした。

弘子《ひろこ》さんは、いつもひょうきんな久美子《くみこ》さんのただならぬようすに、なにごとが起《お》きたのかと思《おも》いました。

「久美《くみ》ちゃん。どうしたの?」

「弘子《ひろこ》さん。トノが死《し》んでしまったのよ」

「……??」

弘子《ひろこ》さんは、言葉《ことば》が出《で》ませんでした。

「トノの亡骸《なきがら》が、浄水所《じょうすいじょ》の水門《すいもん》のところに……」

「うそよ!!」

「本当《ほんとう》なのよ」

「でも、なぜ、死《し》んだの?」

「それが、わからないのよ」

この日《ひ》も訓練士《くんれんし》の久美子《くみこ》さんは、三島江公園《みしまえこうえん》の片隅《かたすみ》にいました。訓練《くんれん》が終《お》わり、帰《かえ》ろうと土手《どて》の階段《かいだん》を登《のぼ》ると、トノらしき犬《いぬ》が水門《すいもん》の前《まえ》に横《よこ》たわっているのがみえました。久美子《くみこ》さんが階段《かいだん》を駆《か》け下《お》りて近《ちか》づくと、トノが死《し》んでいるのを確認《かくにん》できたのです。

弘子《ひろこ》さんは電話《でんわ》を切《き》ると三島江《みしまえ》公園《こうえん》にむかいました。

その途中《とちゅう》で、朝《あさ》のことが頭《あたま》をよぎりました。

いつもは三島江《みしまえ》公園《こうえん》に食《た》べ物《もの》をもらいにくるトノがこなかった……。

きのうは休日《きゅうじつ》(こどもの日《ひ》)なので、公園《こうえん》でバーベキューをする家族連《かぞくづ》れからお肉《にく》をもらって、お腹《なか》がいっぱいなのだと思《おも》っていたのに……。

ひょっとしたら、もうそのときにトノは……。

「弘子《ひろこ》さぁん。こっちよ」

弘子《ひろこ》さんが三島江《みしまえ》公園《こうえん》へ到着《とうちゃく》すると、久美子《くみこ》さんが手招《てまね》きをしました。

トノの亡骸《なきがら》は、三島江《みしまえ》公園《こうえん》から三〇〇メートルほどはなれた浄水所《じょうすいじょ》の水門《すいもん》の前《まえ》にありました。

弘子《ひろこ》さんはトノの亡骸《なきがら》と対面《たいめん》しました。

たしかにトノが石《いし》のように動《うご》かないで横《よこ》たわっています。

「ああ、トノ……」

弘子《ひろこ》さんは、トノの亡骸《なきがら》を風《かぜ》にさらしておくことが、ふびんでなりませんでした。

弘子《ひろこ》さんは、トノの頭《あたま》をはじめてさすりました。

それは、トノの頭《あたま》をなでた、最初《さいしょ》で最後《さいご》の瞬間《しゅんかん》でした。弘子《ひろこ》さんは、トノに食《た》べ物《もの》を手《て》であげることはできても、頭《あたま》をなでたことは一度《ど》もなかったのです。それでも、「トノォ」と呼《よ》ぶと、どこからか現《あらわ》れて、食《た》べ物《もの》を食《た》べてくれるだけで幸《しあわ》せでした。まさか、はじめて頭《あたま》をなでるのが、トノが死《し》んだときだなんて思《おも》ってもいませんでした。

「おぉぉい」

弘子《ひろこ》さんから連絡《れんらく》をもらった八木《やぎ》さんが、駐車場《ちゅうしゃじょう》のほうからかけ足《あし》でやってきました。

「八木《やぎ》さん。トノは死《し》んでから、それほど時間《じかん》がたっていないみたい。毛並《けな》みが、まだふわふわよ」

この日《ひ》、保健所《ほけんじょ》に電話《でんわ》をすると、

「きょうは祝日《しゅくじつ》の振《ふ》り替《か》えの休《やす》みなので、翌日《よくじつ》、市《し》の清掃車《せいそうしゃ》をむかわせます」

ということでした。

弘子《ひろこ》さんは買《か》い物《もの》がはいったビニール袋《ぶくろ》から中身《なかみ》を出《だ》し、そして、その袋《ふくろ》をトノにかけてあげました。

次《つぎ》の日《ひ》、弘子《ひろこ》さんと久美子《くみこ》さんは、最後《さいご》の別《わか》れをするために、朝《あさ》からトノの亡骸《なきがら》のそばにいました。けれども、午前中《ごぜんちゅう》にくる予定《よてい》の保健所《ほけんじょ》の自動車《じどうしゃ》が、なかなか到着《とうちゃく》しません。

弘子《ひろこ》さんは、保健所《ほけんじょ》に電話《でんわ》をかけてみました。

「もしもし。三島江《みしまえ》公園《こうえん》の水門《すいもん》の犬《いぬ》の亡骸《なきがら》を引《ひ》きとりにきてほしいのですが
……」

おかしいな……という職員《しょくいん》の声《こえ》が、携帯電話《けいたいでんわ》からもれてきました。

「清掃車《せいそうしゃ》は、ずいぶん前《まえ》にそちらにむかったのですが……」

「清掃車《せいそうしゃ》は見当《みあ》たりませんよ。犬《いぬ》がこのままではかわいそうです」

「場所《ばしょ》がわからないのかなぁ……。じゃあ、清掃車《せいそうしゃ》に携帯電話《けいたいでんわ》で連絡《れんらく》してみます。そちらの場所《ばしょ》を住所《じゅうしょ》で教《おし》えてください」

「えっ!?」

「その犬《いぬ》の死体《したい》があるのは、何丁目《なんちょうめ》何番地《なんばんち》ですか？」

「……」

弘子《ひろこ》さんは答《こた》えられませんでした。河川敷《かせんじき》には番地《ばんち》がないからです。トノは飼《か》い犬《いぬ》ではないので、飼《か》い犬《いぬ》のような住所《じゅうしょ》がありません。つまり、住所《じゅうしょ》を持《も》たない「番外地《ばんがいち》の犬《いぬ》」だったのです。

電話《でんわ》を切《き》った弘子《ひろこ》さんは、トノの上《うえ》にかかっているビニール袋《ぶくろ》をとりました。すると河川敷《かせんじき》を自由《じゆう》に走《はし》り回《まわ》っていたときよりも、小《ちい》さく感《かん》じられるトノが現《あらわ》れました。

「トノがこんな姿《すがた》になってしまった……」

そんなことをぽつりと言《い》った弘子《ひろこ》さんは、トノにはじめて出会《であ》った日《ひ》のことを思《おも》い出《だ》しました。

……あの日《ひ》、弟《おとうと》とケンカして、元気《げんき》をなくして土手《どて》にすわっていたわたしの前《まえ》に現《あらわ》れたのがトノ。人間《にんげん》に媚《こ》びたりする性格《せいかく》の犬《いぬ》ではなかったトノ。たくさんの人にかわいがってもらったトノ。群《む》れでいるよりはヒメといつもいっしょに暮《く》らしていたトノ。ヒメがお腹《なか》いっぱいになってから自分《じぶん》も食《た》べていたトノ……

ヒメは、弘子《ひろこ》さんがトノに会《あ》った次《つぎ》の年《とし》の夏《なつ》に死《し》にました。

弘子《ひろこ》さんはトノの亡骸《なきがら》にむかい、心《こころ》のなかで言《い》いました。

（トノ、安《やす》らかに眠《ねむ》ってください。ヒメと天国《てんごく》の河川敷《かせんじき》でいつまでも仲良《なかよ》く暮《く》らしてください。きっと、天国《てんごく》の河川敷《かせんじき》は自由《じゆう》で安全《あんぜん》な場所《ばしょ》なのでしょうね。さようなら、そしてありがとう……）

この日《ひ》、清掃局《せいそうきょく》の自動車《じどうしゃ》は道《みち》に迷《まよ》ったままやってきませんでした。

その夜《よる》、弘子《ひろこ》さんは八木《やぎ》さんに電話《でんわ》をしてトノとの想《おも》い出《で》を話《はな》しました。

「子《こ》どものころは、街中《まちじゅう》にいた野良犬《のらいぬ》たちと遊《あそ》んでいて……。そんなことさえ忘《わす》れて大人《おとな》になったような気《き》がするの。いつの間《ま》にか、町《まち》から野良犬《のらいぬ》は消《き》えていて……。でも、偶然《ぐうぜん》に訪《おとず》れた淀川《よどがわ》の河川敷《かせんじき》でトノと出会《であ》い、子《こ》どものころの気持《きも》ちがよみがえってきたのよ」

「……」

「でも、トノにはじめて会《あ》ったとき、いそがしく働《はたら》いている途中《とちゅう》だったら、河川敷《かせんじき》に野良犬《のらいぬ》がいることなど気《き》にもとめないで、みすごしていたかもしれない。きっと町《まち》で普通《ふつう》に歳月《としつき》を重《かさ》ねていたと思《おも》うわ。わたしが少《すこ》し悲《かな》しかったから、きっと少《すこ》し悲《かな》しそうな野良犬《のらいぬ》と仲良《なかよ》くなったような気《き》がするの」

受話器《じゅわき》から八木《やぎ》さんのおだやかな声《こえ》がもれてきました。

「人《ひと》と犬《いぬ》の出会《であ》いって、ふしぎなもんだね」

「トノにしてみれば、わたしは食《た》べ物《もの》をくれる人間《にんげん》のなかのひとりだったか

トノやティナたちが暮《く》らしていた淀川《よどがわ》の河川敷《かせんじき》。川辺《かわべ》の茂《しげ》みのなかに、「耳《みみ》を切《き》られた4匹《ひき》の子犬《こいぬ》」はいました。

もしれない」

「そんなことはないよ。トノがやさしい気持《きも》ちで目《め》を細《ほそ》めたとき、手《て》を差《さ》し出《だ》して食《た》べ物《もの》を与《あた》えてくれる弘子《ひろこ》さんは、天使《てんし》のようにみえたはずさ」

「こんど、トノが産《う》まれてくるならば、天使《てんし》がいなくてもだいじょうぶな、飼《か》い犬《いぬ》としての生涯《しょうがい》をおくれるといいなぁ」

それでも……と八木《やぎ》さんは、胸《むね》のなかにあった言葉《ことば》を言《い》いました。

「トノは、淀川《よどがわ》の河川敷《かせんじき》という自分《じぶん》の故郷《こきょう》で死《し》んだ幸《しあわ》せな犬《いぬ》だったよ。それとトノに話《はな》すことがあるとしたら、『せめて、俺《おれ》たちだけでも、この河川敷《かせんじき》にトノという犬《いぬ》がいたことを覚《おぼ》えているからな』ということだけかもしれないね……」

「そんなトノは、もうこの世《よ》にいないのね」

「そうさ。時《とき》がとまらず流《なが》れていくことは、はかないことだよね。生《い》きているものが、死《し》んでいくことでもあるから……。でもね、時《とき》が流《なが》れるから、新《あたら》しい命《いのち》が誕生《たんじょう》するんだよ」

弘子《ひろこ》さんと八木《やぎ》さんの想《おも》い出話《でばなし》は、つきることがありませんでした。

＊　＊

翌日《よくじつ》の朝《あさ》、保健所《ほけんじょ》の自動車《じどうしゃ》がやってきて、トノの亡骸《なきがら》を運《はこ》んでいきました。

番外地《ばんがいち》の犬《いぬ》は、静《しず》かに河川敷《かせんじき》から去《さ》っていったのです。

新《あたら》しい命《いのち》

父犬《ちちいぬ》クロがつかまって、一年《ねん》がすぎた二〇〇二年《ねん》五月《がつ》のことです。

弘子《ひろこ》さんのもとに、こんどは「耳《みみ》を切《き》られた子犬《こいぬ》たち」の母犬《ははいぬ》であるティナがとらえられたという連絡《れんらく》がはいりました。

翌日《よくじつ》、クロのときと同《おな》じように、弘子《ひろこ》さんは八木《やぎ》さんの自動車《じどうしゃ》に乗《の》って箕面市《みのおし》の捨《す》て犬《いぬ》を収容《しゅうよう》するセンターに急《いそ》ぎました。

ティナもクロと同《おな》じようにセンターの犬舎《けんしゃ》から出《だ》そうとすると、ものすごく抵抗《ていこう》しました。首輪《くびわ》をつけるのに、押《おさ》えようとしても、うなったりあばれたりして、押《おさ》えられないのです。とにかく身体《からだ》をじっとしてもらわないと首輪《くびわ》をつけられないので、散歩《さんぽ》に使《つか》うリードで輪《わ》をつくり、ティナの首《くび》にひょいとかけました。するとあばれて鎖《くさり》を咬《か》むのはクロといっしょらしく、ティナは二、三秒《びょう》で、リードを咬《か》み切《き》ってしまいました。

これではどうしようもないと思《おも》った弘子《ひろこ》さんは、先《さき》っぽにわっかがついている捕獲用《ほかくよう》の棒《ぼう》で、あばれるティナを地面《じめん》に伏《ふ》せさせました。コンクリートに踏《ふ》ん張《ば》るティナの三本《ぼん》の足《あし》からは血《ち》がにじんできました。それでもティナは首輪《くびわ》をつけられてなるものかと、鎖《くさり》を咬《か》みながら、うしろへカエルのように飛《と》び跳《は》ねつづけました。

センターからの帰《かえ》りの自動車《じどうしゃ》のなかでも、ティナは口《くち》を血《ち》だらけにして、鎖《くさり》を咬《か》みつづけていました。

足《あし》の不自由《ふじゆう》なティナは、しばらく八木《やぎ》さんが家《いえ》であずかることにしました。

次《つぎ》の日《ひ》から、人間《にんげん》になれてほしいとねがう八木《やぎ》さんと、野性《やせい》にもどろうとするティナとの根比《こんくら》べがはじまりました。

鎖《くさり》を食《く》いちぎろうと口《くち》を血《ち》だらけにしたティナが、

（あなたたち人間《にんげん》に、わたしたちの自由《じゆう》を奪《うば》う権利《けんり》があるの……）

という冷《さ》めた視線《しせん》を八木《やぎ》さんにおくってきました。けれども八木《やぎ》さんは、（この首輪《くびわ》や鎖《くさり》になれなければ、またつかまってしまうんだぞ……）とにらみ返《かえ》して、ティナに鎖《くさり》をつけて散歩《さんぽ》させようと必死《ひっし》です。

ティナには幸《しあわ》せになってもらいたいとねがっている八木《やぎ》さんは、やさしい顔《かお》を鬼《おに》のような表情《ひょうじょう》にして、散歩《さんぽ》の練習《れんしゅう》をくり返《かえ》しました。それでもティナは三本《ぼん》の足《あし》を力《ちから》いっぱいふんばり、八木《やぎ》さんからはなれようとします。

野良犬《のらいぬ》が自由《じゆう》に街中《まちなか》を歩《ある》いていた時代《じだい》は、もうふた昔《むかし》も前《まえ》のことです。日本《にほん》は、野良猫《のらねこ》は生《い》きていても、野良犬《のらいぬ》は生《い》きていけない国《くに》になってしまったのです。だからこそ、八木《やぎ》さんはティナには「自由《じゆう》」だけれど「危険《きけん》」が多《おお》い野良犬《のらいぬ》としてではなく、「不自由《ふじゆう》」でも「安全《あんぜん》」な飼《か》い犬《いぬ》として、第《だい》二の生涯《しょうがい》をおくってほしいと思《おも》っていたのです。

八木《やぎ》さんは、ティナから虐待《ぎゃくたい》を受《う》けた恐怖心《きょうふしん》をとりのぞいてやれば、人間《にんげん》と暮《く》らすことができると考《かん》えていました。

しかし、ティナは人間《にんげん》にもやさしい人《ひと》がいると気持《きも》ちのうえでわかりかけてきても、自分《じぶん》の足《あし》や子犬《こいぬ》たちの耳《みみ》を切断《せつだん》した人間《にんげん》を、本能的《ほんのうてき》に恐《おそ》れているようでした。

八木《やぎ》さんが、ティナの凍《こお》りついた心《こころ》を溶《と》かすのに、ひと月《つき》かかりました。

そして六月《がつ》、とうとうティナは鎖《くさり》をつけたまま生活《せいかつ》ができるようになりました。

数日後《すうじつご》、弘子《ひろこ》さんと八木《やぎ》さんが、ティナを連《つ》れて河川敷《かせんじき》にいったときです。

弘子《ひろこ》さんが言《い》いました。

「あれ!? ティナのお腹《なか》が大《おお》きい。ひょっとして赤《あか》ちゃんを宿《やど》しているのかもしれないわ」

八木《やぎ》さんは、いっしょに暮《く》らしていても、首輪《くびわ》や鎖《くさり》になれさせることに必死《ひっし》で、そこまで気《き》がつきませんでした。

「本当《ほんとう》だ。これは、もうすぐ産《う》まれるかもしれない」

すると弘子《ひろこ》さんは、里親《さとおや》のことが早々《はやばや》と頭《あたま》をかけ巡《めぐ》りました。

「子犬《こいぬ》の里親《さとおや》はみつかるかもしれないね。子犬《こいぬ》は成犬《せいけん》と違《ちが》って、みんなかわいがるし……」

「しかし、成犬《せいけん》であるティナのことを理解《りかい》してくれて、幸《しあわ》せにしてくれる人《ひと》もいてほしいね」

「そうだわ。ティナは、たいへんな運命《うんめい》を背負《せお》って生《い》きてきたわけだから、これからは幸《しあわ》せになってほしいものね」

「たとえ三本足《ぼんあし》でも、ティナは生《い》きている。生《い》きているかぎり希望《きぼう》があるんだよ」

「……」

「河川敷《かせんじき》では、捕獲《ほかく》されてしまう。だから、ティナが幸《しあわ》せになるただ一つの方法《ほうほう》は、人間《にんげん》を信《しん》じることだ。そのためにも、ぼくらが愛情《あいじょう》を注《そそ》いで、人《ひと》に愛《あい》されることを覚《おぼ》えてもらうんだ」

八木《やぎ》さんになついてきたティナ。

すると弘子《ひろこ》さんが、この河川敷《かせんじき》の犬《いぬ》たちにかかわってきた三年間《ねんかん》を思《おも》いおこして、話《はな》しました。

「犬《いぬ》は色《いろ》がわからないっていうけれど、三島江《みしまえ》公園《こうえん》の犬《いぬ》たちは、この緑《みどり》の河《か》川敷《せんじき》や水色《みずいろ》の淀川《よどがわ》が、どのようにみえているのかなぁ……」

「……」

「わたしたち人間《にんげん》も時間《じかん》の流《なが》れをみることができない。だから、この河川敷《かせんじき》での三年間《ねんかん》もみることはできない。ただ感《かん》じるだけ。でも目《め》を閉《と》じれば、はっきりとみることができるの。河川敷《かせんじき》にいたトノ、ヒメ、ティナ、クロ、タヌちゃん、ローズマリー、パセリ、セイジ、タイム……。そんな彼《かれ》らの姿《すがた》が、わたしの三年間《ねんかん》なのかもしれません。河川敷《かせんじき》は、町《まち》でもなければ大自然《だいしぜん》のなかでもない。時間《じかん》の流《なが》れからとり残《のこ》されたような、ふしぎな空間《くうかん》に思《おも》えます」

「その河川敷《かせんじき》の犬《いぬ》も三年間《ねんかん》で、ずいぶん変《か》わってきたなぁ。野良犬《のらいぬ》がだいぶ減《へ》ってきた」

「そのかわり三年前《ねんまえ》は、めったに人《ひと》がこなかった三島江公園《みしまえこうえん》に、サッカー場《じょう》やテニス場《じょう》ができて、多《おお》くの人《ひと》がやってくるようになりましたね」

そんなことを、弘子《ひろこ》さんと八木《やぎ》さんは、河川敷《かせんじき》の土手《どて》にすわり、話《はな》しつづけていました。その横《よこ》には、河川敷《かせんじき》の母犬《ははいぬ》・ティナがちょこんとすわってています。まるで、はじめから飼《か》い犬《いぬ》だったようです。そして、自分《じぶん》が波乱万丈《はらんばんじょう》の時代《じだい》をすごした大阪淀川《おおさかよどがわ》の河川敷《かせんじき》を、じっとみつめていました。

あしたは晴《は》れるのでしょうか。

河川敷《かせんじき》の西《にし》の空《そら》が赤《あか》く染《そ》まっていました。

月《つき》が変《か》わり、七月《がつ》の夕方《ゆうがた》のことです。

八木《やぎ》さんが銭湯《せんとう》から帰《かえ》ってくると、ティナのそばで三つの塊《かたまり》が動《うご》いていました。ティナが子犬《こいぬ》を産《う》んだのです。

お玉《たま》のように黒《くろ》い犬《いぬ》が二匹《ひき》とエルのような茶色《ちゃいろ》いのが一匹《ぴき》でした。

八木《やぎ》さんは弘子《ひろこ》さんに電話《でんわ》をしました。

「弘子《ひろこ》さん。ティナが子犬《こいぬ》を産《う》んだよ」

弘子《ひろこ》さんは、ずいぶんと早《はや》い出産《しゅっさん》だったのでティナが心配《しんぱい》でした。

「ティナも子犬《こいぬ》も無事《ぶじ》ですか」

「ああ、だいじょうぶだ」

翌日《よくじつ》、弘子《ひろこ》さんが八木《やぎ》さんの家《いえ》にやってきました。

弘子《ひろこ》さんが子犬《こいぬ》をさわってもティナは、怒《おこ》りません。おだやかに子犬《こいぬ》をながめているだけです。

「この三匹《びき》の子犬《こいぬ》は、河川敷《かせんじき》で産《う》まれた野良犬《のらいぬ》ではないのね」

「そうさ。俺《おれ》の家《いえ》で誕生《たんじょう》した犬《いぬ》だよ」

ふたりは三匹《びき》の子犬《こいぬ》と、母犬《ははいぬ》ティナをいつまでも、みつづけていました。

河川敷《かせんじき》の野良犬《のらいぬ》だったけど幸《しあわ》せになったティナ。

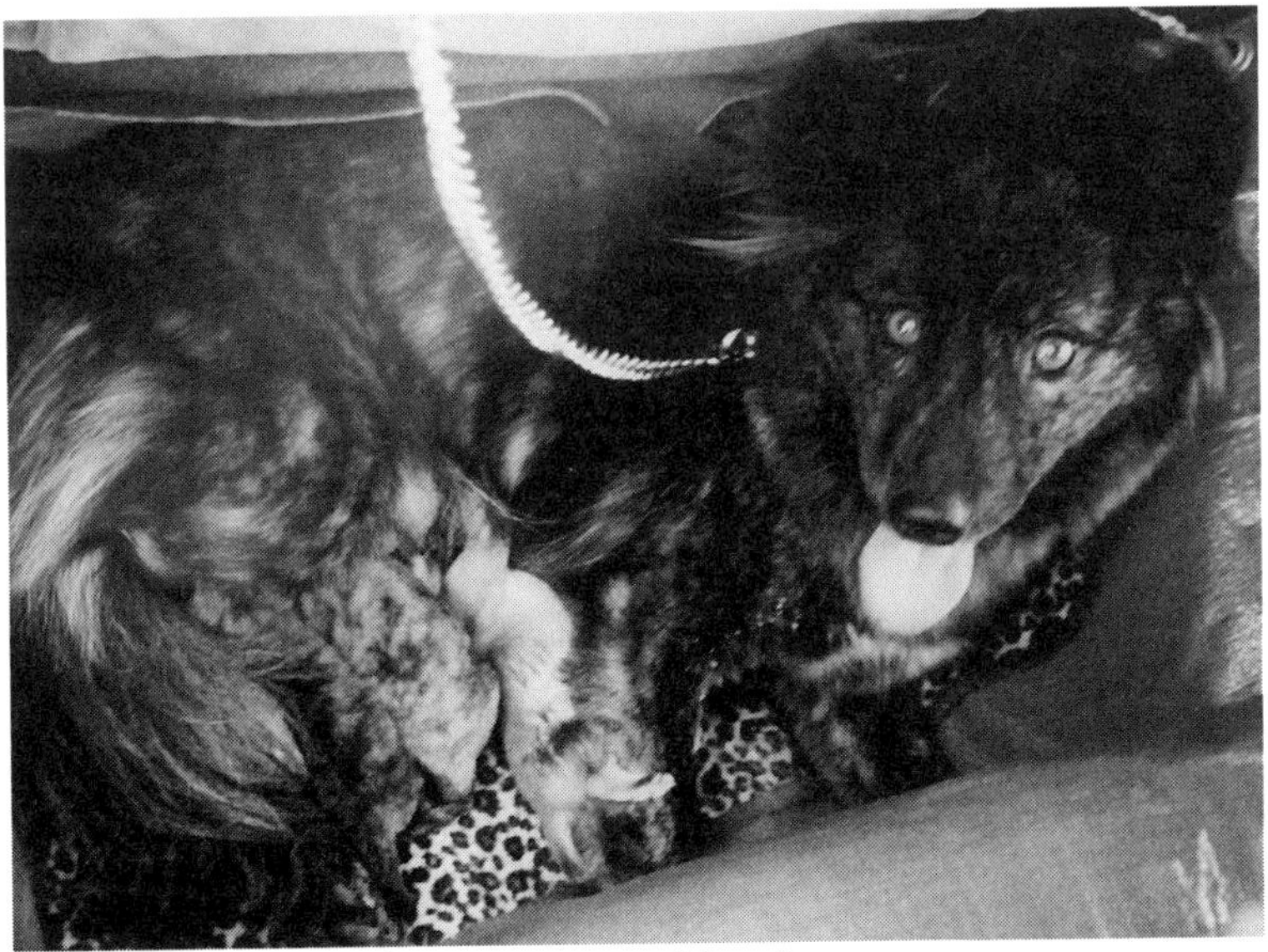

ティナが子犬《こいぬ》を産《う》んだよ。もう耳《みみ》を切《き》られたりはしないから、ティナも安心《あんしん》した顔《かお》。

おわりに　～小《ちい》さな存在《ぞんざい》の命《いのち》でも～

　ぼくが、この『のら犬《いぬ》ティナと4匹《ひき》の子《こ》ども』を書《か》きはじめる一年前《ねんまえ》のことでした。

『瞬間接着剤《しゅんかんせっちゃくざい》で目《め》をふさがれた犬《いぬ》　純平《じゅんぺい》』という本《ほん》が出版《しゅっぱん》されて、新聞記者《しんぶんきしゃ》から動物虐待《どうぶつぎゃくたい》のことを取材《しゅざい》されたことがありました。けれども、動物虐待《どうぶつぎゃくたい》のことはわからないので、言《い》えたことは一つだけでした。

「有名《ゆうめい》になった捨《す》て犬《いぬ》はもらいたいけれど、そのほかの捨《す》て犬《いぬ》の里親《さとおや》になりたくない人《ひと》が多《おお》いみたいです」

　ぼくがそう話《はな》すと、

「同《おな》じことを言《い》っていた人《ひと》がいたよ。ひょっとして、関《せき》さんと会《あ》うことになるかもしれない」

と、新聞記者《しんぶんきしゃ》は「甲斐《かい》アニマルトラスト」の名前《なまえ》を教《おし》えてくれました。

それから一年近《ねんちか》くがすぎたころ、大阪《おおさか》の動物愛護団体《どうぶつあいごだんたい》の方《かた》から、大阪《おおさか》で動《どう》物《ぶつ》を保護《ほご》している人《ひと》を紹介《しょうかい》されました。すると、その人《ひと》から「ハッピーハウス」のことを教《おし》えてもらいました。

「耳《みみ》を切《き》られた子犬《こいぬ》をあずかっていたのが、大阪《おおさか》のハッピーハウスなんですよ」と。

そこで、ぼくは「ハッピーハウス」を訪《たず》ねようと電話《でんわ》をしました。すると、そこは「甲斐《かい》アニマルトラスト」でもあることがわかりました。

あれ!?　新聞記者《しんぶんきしゃ》が言《い》っていたことが本当《ほんとう》になってしまったな。そんな偶《ぐう》然《ぜん》におどろきながら、ぼくは大阪《おおさか》へむかう準備《じゅんび》をはじめました。

こうなれば、あとはいくだけです。東京発大阪行《とうきょうはつおおさかい》きの「のぞみ」と言《い》いたいところですが、ぼくは深夜《しんや》バスに乗《の》りました。その理由《りゆう》は、これから会《あ》うのはどんな人《ひと》なのだろう……どんな物語《ものがたり》が待《ま》っているのだろう……と想像《そうぞう》を巡《めぐ》らせるには、新幹線《しんかんせん》の乗車時間《じょうしゃじかん》では短《みじか》すぎると思《おも》ったからです。

こうして、大阪《おおさか》の「甲斐《かい》アニマルトラスト」を訪《たず》ねたのが、この『のら犬《いぬ》ティナと4匹《ひき》の子《こ》ども』を書《か》きはじめる最初《さいしょ》の一歩《ぽ》でした。この物語《ものがたり》を書《か》きはじめると、登場《とうじょう》している河川敷《かせんじき》の犬《いぬ》たちに教《おし》えられたことがありました。

生《い》きていることの意味《いみ》は、生《い》きていること自体《じたい》にあるんだ、と。

〈生《い》きている犬《いぬ》は死《し》んだライオンにも勝《まさ》る〉――そんなことわざがあります。百獣《ひゃくじゅう》の王《おう》ライオンも、生《い》きていてこそ「百獣《ひゃくじゅう》の王《おう》」です。それにたいして、たとえ平凡《へいぼん》で小《ちい》さな存在《そんざい》の犬《いぬ》だとしても、生命《いのち》を与《あた》えられているほうがすごいことなのです。


「あとがき」を書《か》くときは、いつも二つの思《おも》いがあります。

ようやく物語《ものがたり》が完成《かんせい》した「大《おお》きな喜《よろこ》び」と、取材《しゅざい》で出会《であ》った人《ひと》たちが、ぼくからはなれて本《ほん》のなかの人《ひと》になってしまうような「小《ちい》さな寂《さみ》しさ」です。いまも、両方《りょうほう》です。

甲斐《かい》尚子《なおこ》さん――「ハッピーハウス」と出会《であ》い、この物語《ものがたり》がはじまりました。いつも元気玉《げんきだま》をいただきました。

中山《なかやま》弘子《ひろこ》さん――大阪《おおさか》の町《まち》のガラガラの喫茶店《きっさてん》や、雨上《あめあ》がりの河川敷《かせんじき》でティナたちの話《はなし》を聞《き》かせていただきました。

及川《おいかわ》哲弘《てつひろ》・のぞみさん――お玉《たま》は、十匹《ぴき》の猫《ねこ》と遊《あそ》んでいますか。

木山《きやま》ひとみさん――プーは、ミクとじゃれあっていますか。

片桐《かたぎり》久与《ひさよ》さん――ミムジーは、五人《にん》の子《こ》どもたちとゆたかな自然《しぜん》のなかで、元気《げんき》に暮《く》らしていることでしょう。

大田《おおた》晴美《はるみ》さん――エルは、大阪《おおさか》の商店街《しょうてんがい》のにぎやかな会話《かいわ》を聞《き》いていることでしょう。

そのほか、八木《やぎ》徹《とおる》さん、「ハッピーハウス」のスタッフのみなさん、どうもありがとうございました。

また『タイタニックの犬《いぬ》 ラブ』『救《すく》われた団地犬《だんちけん》 ダン』につづき、「淀川《よどがわ》河川敷《かせんじき》の犬《いぬ》たちの物語《ものがたり》」を『のら犬《いぬ》ティナと4匹《ひき》の子《こ》ども』として世《よ》におくり出《だ》していただいたハート出版《しゅっぱん》の日高裕明《ひだかひろあき》社長《しゃちょう》、藤川《ふじかわ》すすむ編集長《へんしゅうちょう》はじめ社員《しゃいん》の皆《みな》さまには心《こころ》より感謝《かんしゃ》いたします。

この本《ほん》に登場《とうじょう》した犬《いぬ》たちは物語《ものがたり》を抱《かか》えて生《い》きていました。そして、人々《ひとびと》もそれぞれの物語《ものがたり》を背負《せお》って生《い》きていました。そんな、少《すこ》しほろ苦《にが》い時間《じかん》をくぐり抜《ぬ》けてきた「人《ひと》と犬《いぬ》」が出会《であ》ってはじまる物語《ものがたり》は、ハッピーエンドがよくにあいます。

平成《へいせい》一四年《ねん》八月《がつ》　関《せき》　朝之《ともゆき》

〈お断り〉
本文中の場面は事実に基づいて書かれていますが、作者が創作したシーン、セリフもあることをご了解ください。

【取材協力】甲斐尚子さん／中山弘子さん／及川哲弘さん／及川のぞみさん／木山ひとみさん／
片桐久与さん／大田晴美さん／八木徹さん
★甲斐《かい》アニマルトラスト（ハッピーハウス）では「里親さん」と「会員」を募集しています。里
親希望の方は見学ができますので、かならず予約の上、おこしください。
■見学時間　火〜金（14〜16時／受付14時）
土・日・祝祭日（14〜16時／受付14時と15時の2回）　月曜休み
■会員特典　ハッピーハウス通信の送付やハッピーハウス動物診療所・ハッピードッグトレー
ニングクラブ訓練料金・迷子メダル……などが会員割引となります。（月会費1500円
は、施設運営に回されます）
●（NPO法人）甲斐《かい》アニマルトラスト
TEL0727-37-1811
●ハッピーハウス
TEL0727-37-1707
〒563-0131　大阪府豊能《とよの》郡能勢《のせ》町野間大原117
http://homepage2.nifty.com/happyhouse/

●作者紹介　関 朝之（せき　ともゆき）

1965年、東京生まれ。城西大学経済学部経済学科、日本ジャーナリストセンター卒。仏教大学社会学部福祉学科中退。
スポーツ・インストラクター、バーテンダーなどを経てノンフィクション・ライターとなる。医療・労働・動物・農業・旅などの取材テーマに取り組み、同時代を生きる人々の人生模様を書きつづけている。
「愛犬の友」（誠文堂新光社）に人間と犬のドラマを描いた「ヒトとイヌ」を、「月刊がん〜もっといい日〜」（日本医療情報出版）に小児がんで亡くなった子どもたちの魂を記した「いのちの残照」などを連載している。
著書に
『瞬間接着剤で目をふさがれた犬　純平』（ハート出版）
『タイタニックの犬　ラブ』（ハート出版）
『救われた団地犬ダン』（ハート出版）
『歓喜の街にスコールが降る』（現代旅行研究所）
『たとえば旅の文学はこんなふうにして書く』（同文書院）など。

覚《おぼ》えていますか？ 耳《みみ》を切《き》られた子犬《こいぬ》の事件《じけん》
のら犬《いぬ》ティナと4匹《ひき》の子《こ》ども

平成14年9月10日 第1刷発行

ISBN4-89295-274-5 C8093
発行者　日高裕明
発行所　ハート出版
〒171-0014
東京都豊島区池袋3-9-23
TEL・03-3590-6077　FAX・03-3590-6078
ハート出版ホームページアドレス http://www.810.co.jp/

印刷　中央精版印刷
★乱丁、落丁はお取り替えします。その他お気づきの点がございましたら、お知らせ下さい。
編集担当／藤川すすむ